JUMP COMICS

DRAGON BALL

ドラゴンボール

巻《かん》四　大《だい》決《けつ》勝《しよう》戦《せん》

鳥山 明

登《とう》場《じょう》人《じん》物《ぶつ》紹《しょう》介《かい》

ナム
ランファン
ジャッキー・チュン
ギラン

クリリン

亀仙人《かめせんにん》（武天老師《むてんろうし》）

前《ぜん》巻《かん》までのあらすじ

むかしむかしのこと。ブルマと孫悟空《そんごくう》は、七つそろうと神龍《シェンロン》が現《あらわ》れ願《ねが》いをひとつだけかなえてくれるという不思議《ふしぎ》なドラゴンボールをさがして旅《たび》していた。大《だい》冒険《ぼうけん》のすえなんとかすべての球《ボール》を集《あつ》めたのだが、悪人《あくにん》ピラフに奪《うば》われてしまった。悟空《ごくう》たちはドラゴンボールの悪用《あくよう》をふせぐため、ギャルのパンティというつまらない願《ねが》いを先《さき》にかなえてもらう。神龍《シェンロン》はいちど願《ねが》いをかなえてしまうと一年《ねん》以上《いじょう》は現《あらわ》れない。ドラゴンボールは一年後《ねんご》にまたさがすことにして、悟空《ごくう》は武術《ぶじゅつ》の神《かみ》さまといわれる亀仙人《かめせんにん》のもとへ弟子入《でしい》りした。修業《しゅぎょう》ののち、悟空《ごくう》と兄弟弟子《きょうだいでし》のクリリンは天下一武道会《てんかいちぶどうかい》に出場《しゅつじょう》した！

DRAGON《ドラゴン》 BALL《ボール》 4

大決勝戦《だいけつしようせん》

ドラゴンボール DRAGON BALL

其之《その》三十七　第《だい》2試合《しあい》

ヤムチャ
VS《バーサス》
ジャッキー・チュン

バクテリアン
クリリン
ナム
ランファン
孫悟空《そんごくう》
ギラン

やったなーっ!!
クリリン!!
うわーっ
勝《か》った勝《か》った
勝《か》ったーっ!!
わーわー
ぱちぱち
クリリン選手《せんしゅ》
これは強《つよ》い!!
あっというまに
第《だい》1試合《しあい》を
勝《か》ち抜《ぬ》きました!!
わい
わい
わい
わい
あいつ
チビのくせに
やるもんだな
ーー!
すげえ!
クリリン
バクテリアン
亀仙人《かめせんにん》の
じいちゃん
みてたかな
!?
えへへ…
!!

あれ？武天老師《むてんろうし》さまは？
なあ！じいちゃんどこいったんだ？
しらないけどどっかいっちゃったみたいよ
いまの試合《しあい》がはじまる前《まえ》にいなくなったよ
なんだ帰《かえ》っちゃったのかな
オレたちの試合《しあい》もみないでか？
でも…
どっかでじいちゃんのニオイがするんだよな
くんくん…
さてみなさま！ひきつづいて
第《だい》2試合《しあい》をはじめます!!
さ！きみたちは控《ひか》え室《しつ》でまっててください
うん

第《だい》2試合《しあい》はジャッキー・チュン選手《せんしゅ》とヤムチャ選手《せんしゅ》の対決《たいけつ》です!!
天下一武道会
ではご登場《とうじょう》くださ──い!!
ではいってくる
わー
わー
がんばれよヤムチャ!
みごとなケリじゃったぞクリリン
あ!どうもありがとうございます
さーてと
……
あの人《ひと》どこかであったような…

こちらがヤムチャ選手《せんしゅ》です!!
勝《か》てよヤムチャーッ!!
ジャッキー・チュンさまってどんなおかたなのかしら…
ドキドキ…
ヤムチャさまがんばってくださいよ————っ!!
おまえなにいってんだよボーイフレンドだろ…!
わーわー
いいじゃないべつにあこがれるぐらいかってでしょ!
そしてジャッキー・チュン選手《せんしゅ》です——っ!!
ピースピース

なによーーっ!!
あんなの ただの
こぎたない
じいさん
じゃない!!
フレーーッ
フレーーッ
ヤムチャー!!
LIGHTS
へ~~~
あんな
じいさんで
試合《しあい》
できるのかよ
ジャッキー・
チュンか…
武道会《ぶどうかい》に
出場《しゅつじょう》できるほどの
老人《ろうじん》なのに
まるで きいたことも
ない名《な》だ…
どんな
技《わざ》を
つかうの
か…
では
第《だい》2試合《しあい》を
開始《かいし》します!!
はじめっ!!
わー
わー

さっ
わー
わー
わー
わー
わー
な　なんだ？　構《かま》えなしか…？
おまけに　スキだらけだ　闘争心《とうそうしん》も　感《かん》じられん…
よほどの　自信《じしん》が　あるのか……
そういえば　予選《よせん》の時《とき》も　このじいさんは　あっというまに試合《しあい》を　決《き》めていたようだ…　とにかく　こっちから　仕掛《しか》けて　ようすを　みてみるか…！

はあーーっ!!
ばっ
ひょい
しゃっ
ほいさ
なんと
てっ!!

ふーむ
なかなかあたらんのう
とん
くっ!!
おぉーっ
かなり実戦《じっせん》できたえてあるようじゃが
動《うご》きにムダがあるのがおしいのう…
なっ
なんだとっ!!
おいっクリリン!きてみろよ!!
あのじいちゃんすげえぞっ!!
ヤムチャ選手《せんしゅ》ものすごいスピードでの攻撃《こうげき》だったのですが
ざわ
ざわ
チュン選手《せんしゅ》これをなんなくよけてしまいます!!
老人《ろうじん》とはおもえないフットワークです!!

ここまでなめられては狼《ろう》牙《が》風《ふう》風《ふう》拳《けん》をご披《ひ》露《ろう》するしかないぜ!!
グルルル……
なあ悟《ご》空《くう》あのヤムチャっていう人《ひと》かなり強《つよ》いんだろ?
ああ!オラも闘《たたか》ったことあるけど目《め》にみえねえほどのはやさでさ ムチャクチャ強《つよ》かったんだぜ!
おおい だいじょうぶかよ ヤムチャのやつ…
へ へいきさ!ヤムチャさまには狼《ろう》牙《が》風《ふう》風《ふう》拳《けん》があるもん!
狼《ろう》牙《が》風《ふう》風《ふう》拳《けん》!!!!

ドンッ
ガッ

らばっ!!
ダッ

すたっ
ばばっ
ほうっ!!
とっ
げっ!!

さわやかな
風《かぜ》を
プレゼントして
あげちゃおう
す…
びゅん
はいっ!!
わっ!!!
ダンッ

し〜〜〜oooん
どうじゃ 涼《すず》しかったじゃろう
……
……!?
じょ 場外《じょうがい》っ!!! ジャッキー・チュン選手《せんしゅ》の勝《か》ちです——っ!!!
ニコッ
すっ すごいっ!! まるで白日夢《はくじつむ》をみているような一戦《せん》でした!!
おそろしい強《つよ》さですチュン選手《せんしゅ》!! まったく手《て》をふれずに勝《か》ってしまいました——っ!!!
うおおーっ
わーっ
わー
そ… そんな…
こ このオレが… ま ま まさかあの老人《ろうじん》…
あら〜 ヤムチャが負《ま》けちゃった………
ひょ ひょっとしてつぎにあのじいちゃんと闘《たたか》うのは…ボ ボクじゃないか…!

次《つぎ》は、其之《その》三十八 第《だい》3試合《しあい》

第《だい》2試合《しあい》では　まったく無名《むめい》の老人《ろうじん》ジャッキー・チュンが圧倒的《あっとうてき》な強《つよ》さで　ヤムチャを破《やぶ》るというハプニングが起《お》こり、まさに場内《じょうない》は騒然《そうぜん》と　なったのである！　そして第《だい》3試合《しあい》が　はじまろうとしていた……。
わーー
わーー
わーー
わーー
天下一武道会
武
ギラン
孫悟空
ランファン
ナム
ヤムチャ
ジャッキー・チュン
クリリン
バクテリアン
ヤムチャにあっさり勝《か》っちゃうなんてすげえじいちゃんだな！
第《だい》5試合《しあい》でボクはあんな達人《たつじん》と闘《たたか》うのか…

ふう…
完敗《かんぱい》です手《て》も足《あし》もでませんでした
おまえさんはまだ若《わか》い強《つよ》うなるのはこれからじゃよ
あの…
あなたはひょっとして…
さて　みなさまつづいて第《だい》3試合《しあい》をおこないます!!
ナム選手《せんしゅ》ランファン選手《せんしゅ》ご登場《とうじょう》くださ——い!!
わー
わー
むふ♥

こりゃ!
あんな ぴちぴちギャルと 対戦《たいせん》できるなんて うらやましいのう!!
……… な なんじゃ なんじゃ あのストーリー漫画《まんが》のような マジな眼《め》は…
やつは真剣《しんけん》じゃ… すさまじい気迫《きはく》を 感《かん》じる… 天下《てんか》一《いち》武道会《ぶどうかい》と いえば なかば お祭《まつ》りさわぎの ようなものなのに いったい…
どれ…
ピッ

にいちゃん のどが かわいたよ～
はあ はあ
とうとう井戸《いど》もかれちゃったわ……
ダメじゃ…こう陽照《ひで》りつづきじゃ作物《さくもつ》も育《そだ》たん…村《むら》は おしまいじゃ
あと 2ヵ月《げつ》もすれば雨季《うき》がやってくる
それまでのあいだの水《みず》はボクが町《まち》へいって買《か》ってくる…
そんなこといっても ナム農作物《のうさくもつ》がこのありさまだから
この村《むら》には2ヵ月《げつ》ぶんもの水《みず》を買《か》えるお金《かね》はのこっていないよ…
天下一武道会《てんかいちぶどうかい》に出場《しゅつじょう》して 賞金《しょうきん》で買《か》ってくるよ！
ちょうど こんなときに武道会《ぶどうかい》があるなんて神《かみ》の おぼしめしだ

そういってくれるのはありがたいけど…それに南《みなみ》の都《みやこ》までどうやっていくんだい？
………
ナム　この金《かね》をつかってくれ！村《むら》のみんなからあつめた金《かね》だ　すくないがなんとか旅費《りょひ》にはなるとおもう
すまん…きっと優勝《ゆうしょう》して水《みず》をもってくる
にいちゃん　がんばれよーっ
もし負《ま》けたって気《き》にするなよーっ
がんばれーっ
ふーむ…
なるほど……
ギャグマンガになれんわけじゃのう…
わーわー

……
さて では いよいよ 第《だい》3試合《しあい》 ナム選手《せんしゅ》 対《たい》 ランファン選手《せんしゅ》の 対戦《たいせん》が はじまります!!
わー わー
ピー ピー
おてやわらかにね♥
第《だい》3試合《しあい》 はじめっ!!!
ウフ♥
それっ
どあおお〜〜〜っ!!!

バキッ
ドンッ
さっ
ブアッ
くっ!!!
はーーっ!!

きゃい――ん!!
いっ!?
ペチッ
いったあ～～～～～～～い!!
おーっと ナム選手《せんしゅ》 ランファン選手《せんしゅ》を泣《な》かせてしまいました――っ!!
え～ん え～ん ひどぉ～い!
おろ おろ
す すまぬ
だ だいじょうぶか?

ボゴッ
おー おおお……!!
むふふ
それっ!!!
ズッ
ぱしっ
あなたが そういう気《き》なら わたしは もう あなたを女《おんな》とは おもいません…

男《おとこ》だと…そして宿敵《しゅくてき》だとおもって
力《ちから》のかぎり闘《たたか》わせていただきます!!!!
お〜〜っとナム選手《せんしゅ》怒《おこ》りました!!め眼《め》がかんぜんにマジです…!!
うう〜ん♥
怒《おこ》っちゃや♥
もうブリッ子《こ》は
通用《つうよう》しませんっ!!!

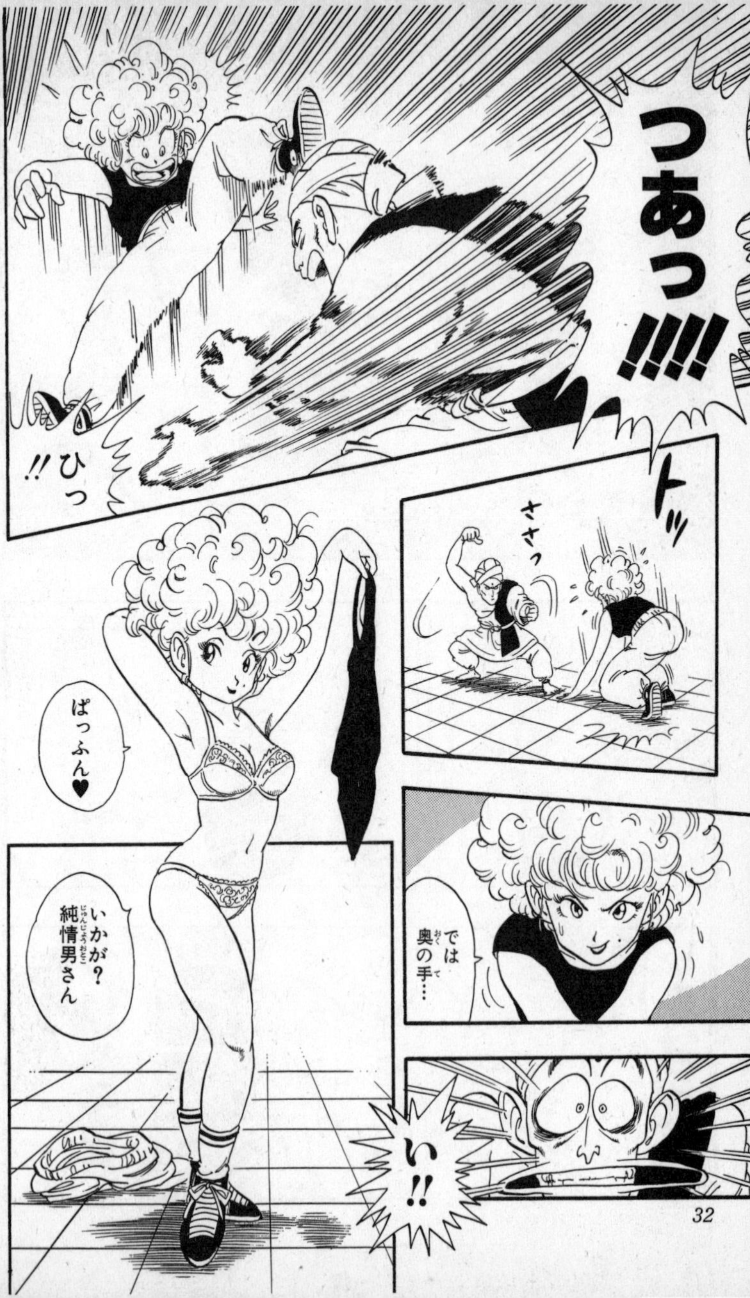

つあっ!!!!
ひっ!!
トッ
ささっ
では奥《おく》の手《て》…
ぱっふん♥
いかが?純情男《じゅんじょうおとこ》さん
い!!

道会
カ〜〜ッ
ふっふっふ どうだ わたしを みられないだろう!
うはー ーっ!!
ええのーっ!! ぷりぷりやの ーーっ!!
いっ いまの 下《げ》品《ひん》なセリフ!! や やはり あの老《ろう》人《じん》は…
わー
わー
ほれほれ どうせなら ぜんぶ ぬいでみい!
ケ ケタはずれ の強《つよ》さ…! ジャッキー・チュンとは
武《む》天《てん》老《ろう》師《し》では!!!?
うりうり うり!
じり じり
たじ たじ たじ

じり じり じり…
おっと 後《あと》がありません!! とても うらやましい 攻撃《こうげき》なのでありますが 純情《じゅんじょう》なナム選手《せんしゅ》には 手《て》が だせません!! 大《だい》ピンチです!!
み…水《みず》が ……
村《むら》の みんなが わたしを まっている…!!
ランファン選手《せんしゅ》 すかさず攻撃《こうげき》に うつりました ーーーっ!!!
そうだ!!! 眼《め》を とじれば おなごの肌《はだ》を みなくてすむ!!!!

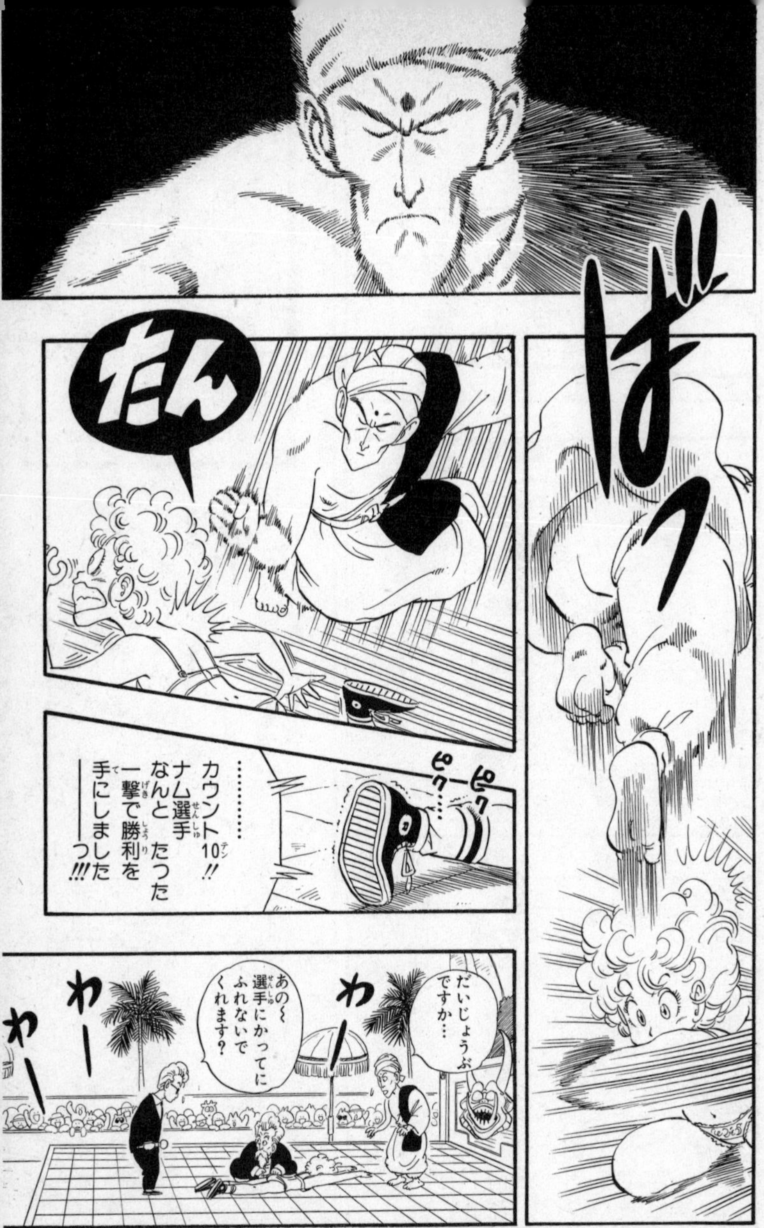
ばっ
たん
ピクピク
……カウント10《テン》!! ナム選手《せんしゅ》 なんと たった 一撃《げき》で勝利《しょうり》を手《て》にしました——っ!!!
だいじょうぶですか…
わー
あの～ 選手《せんしゅ》にかってにふれないでくれます?
わー
わー

次《つぎ》は、其之《その》三十九　第《だい》4試合《しあい》

天下一武道会《てんかいちぶどうかい》は
全《ぜん》7試合《しあい》のうち 3試合《しあい》が
終《お》わり、それぞれ「クリリン」、
「ジャッキー・チュン」、「ナム」の
各選手《かくせんしゅ》が残《のこ》った。
そして いよいよ 悟空《ごくう》の
登場《とうじょう》する第《だい》4試合《しあい》が
はじまろうとしていた…!
わーー
わーー
優勝《ゆうしょう》
⑦
⑤
⑥
①
②
③
④
ギラン
孫悟空《そんごくう》
ランファン
ナム
ヤムチャ
ジャッキー・チュン
クリリン
バクテリアン
それでは第《だい》4試合《しあい》をはじめます!!
孫悟空選手《そんごくうせんしゅ》対《たい》 ギラン選手《せんしゅ》!!
では 両選手《りょうせんしゅ》登場《とうじょう》してください!!
わー
わー
やった!! いよいよ悟空《ごくう》の出番《でばん》だぜっ!!
ギラン…て なにものなのかしら?
ヤムチャさまのぶんまでがんばれ──っ!!

じゃーん
ズシーン
ズシーン
ギャオオ〜〜ム!!
なな なんだ ありゃ まるっきり怪獣《かいじゅう》じゃないか!!
……… あら? 悟空《ごくう》は?
……?
あの… 孫悟空《そんごくう》さん…?
ざわ ざわ
武
どうしたんだ?
でてこないじゃないか

ご悟空《ごくう》さん!? 孫悟空《そんごくう》さん どうぞ ご登場《とうじょう》 ください…
がっはっは オレさまに おじけづいたか!!
あれ…? 第《だい》2試合《しあい》までは いたんだけど…
悟空《ごくう》──っ!!
お──い 悟空《ごくう》っ!! おまえの番《ばん》だぞ どこいったんだ ──っ!!
むこうには いません!
ええい なにを やっと るんじゃ あのバカが!
いったい どうしたん だ──っ!?
お──い でてこ──い
ざわ
ははは!! やつは にげたんだ!! オレさまの 勝《か》ちだぜー!!
ざわ
ね──っ いたわよ ──っ!!

かーかー
なにのんびりしてるんだよっ!! おまえの番《ばん》だって!!
え…? なにが?
あ そうか 試合《しあい》か…?
はやく はやくっ!!
ど どうも!! 孫《そん》悟《ご》空《くう》選《せん》手《しゅ》は お昼《ひる》寝《ね》を していました…
こんにちはーー
オラ 孫《そん》悟《ご》空《くう》 でーーす!!
こ…こいつ なめとるな…

では第《だい》4試《し》合《あい》はじめてくださいっ!!!
このチビやろ~ケチョンケチョンにのしてやるぜ~!
わーわー
わー
よっ
よっ
悟空《ごくう》がんばれよっ!!!
わーわー
クリリンとかいうやつとおなじ服《ふく》だ…なにもんだあのチビたち…
わー
おい!これをみてみろ!
え?

ほれ
え? え? なに なに?
ぶんっ
バガッ
どん!!
おーーっとっ!! ギラン選手《せんしゅ》 ふいの一撃《げき》!!! 孫《そん》選手《せんしゅ》 カベに たたきつけられました——っ!!

べちゃ
これは　きき ました!!!
孫選手《そんせんしゅ》かんぜんにノックアウト!!
試合開始《しあいかいし》　早《そう》そう
一瞬《しゅん》のできごとでした!!
おぉーーっ
ギヒヒ…
勝《か》った!
ほっ!!
すたっ
おぉーーっ!
しっ
信《しん》じられませんっ!!
ヘイが壊《こわ》れるほどたたきつけられたのに
孫選手《そんせんしゅ》、まったくケロッとしていますーーっ!!
ケロッとしてねえよ
ちょっといたかったんだからさ!

あったりまえだ──！
悟空《ごくう》があれぐらいでダウンするわけないぜ！
よしっ!!!
ほりゃりゃ──っ!!!
ビュン！
!!
ガッ

ドム!
くるるんぱっ!!
おお……おおお……
タン
よっ!
せえ〜〜の…

どええええ〜っ!!!!
ばんっ!

おおおーーっ
わっ　たった!!!!
ひええ――――っ!!!
なっ　なんという
ものすごいパワー!!!
孫選手《そんせんしゅ》　ちいさなカラダで
ギラン選手《せんしゅ》を　場外《じょうがい》に
放《ほう》り投《な》げました!!
孫選手《そんせんしゅ》の　逆転勝《ぎゃくてんが》ち
――――!!!
ばっ
あっ!!!

げっへっへ!! オレさまに場外負《じょうがいま》けはないんだぜっ!!
あれま!
おぉぉーっ
ふ? 不死鳥《ふしちょう》のようによみがえりましたギラン選手《せんしゅ》!! たしかに場外《じょうがい》に落下《らっか》した時点《じてん》で勝敗《しょうはい》は　きまりますのでこれでは負《ま》けにはなりません!!
そんなのありか~

じゃあ
「まいった」って いってもらうしか ねえな!!
ニヤリ
ギュバーッ
なっ!?

わわっ!!! なっ なんだっ!?
がははっ!! オレさまのグルグルガムにかかったな!!!
うっ!!
うごけないっ!!!
悟空《ごくう》 おもいがけない大《だい》ピンチ!!! いったい どうなってしまうのか!?

次《つぎ》は、其之《その》四十 悟空《ごくう》のシッポ

第《だい》4試合《しあい》　悟空《ごくう》　対《たい》　ギラン戦《せん》!!
激《はげ》しい攻防《こうぼう》が続《つづ》くなか　ギランの発射《はっしゃ》した
グルグルガムに　まきつかれた悟空《ごくう》は身動《みうご》きが
とれずに　大《だい》ピンチをむかえてしまった!
わっ!! うっうごけねえっ!!!
おおーーっ わーー
ギヒヒ…
いくらあがいてもムダだぜ オレのグルグルガムはぜったいにほどけん!
これできさまは人形《にんぎょう》もどうぜんだ!
ズン ズン
ポキ ポキ
ややべ…

ガン
ぎゃっ!!!
くらくら
おおおお〜〜〜っつっつ…!!
ニヤリ
わっ!! わっ!! なっ なにすんのっ!?
ぐあっ
もちろん きさまを 投《な》げとばして やろうと いうのだ
やっ やめようよ!! ちゃんと 闘《たたか》おうよ!! ねっ!!

OMAKE
なんでもないページ

お―――っと!!
これは　まずいぞ
孫《そん》選手《せんしゅ》!!
わ―
わ―
がんばれ
チビ―――ッ
まさに
手《て》も足《あし》もでません!!
このまま場外《じょうがい》に
放《ほう》りだされれば
場外《じょうがい》負《ま》けです!!
孫《そん》選手《せんしゅ》の勝利《しょうり》は
すでに絶望的《ぜつぼうてき》!!!

そりゃっ!!
きさまの
負《ま》けだっ!!!
ぶんっ
うひゃあ
――っ!!!

わああああああぁ……
ごっ悟空《ごくう》っ!!
あかんっ!!!
ももうダメだっ!!
あああーーー
きっ!!!
筋斗雲《きんとうん》ーーーっ!!!!

たのむっ!!!
きてくれーーっ!!!
しゅん
ボンッ
ひゅーーん
ひょっ!?

おおおおーっ
たすかったっ! ありがとう筋《きん》斗《と》雲《うん》!
ひさしぶりだからきてくれないのかとおもったよ
なっ!!
なんだなんだ…!?
やったやった——っ!!
じゃがピンチはまだつづくぞい
わーわーわー
とん
ただいまっと!
ぐぬぬぬ………

やい！
あんなのありか!?
道具《どうぐ》をつかったら
反則《はんそく》じゃないのか!!
おまえだって
空《そら》とんできた
じゃないか！
このなんとかガム
だってさ！
オレは
じぶんの羽《はね》で
とんだんだ!!
グルグルガム
だって
カラダから
はきだした
もんだ!!
ひそ
ひそ
ひそ
ざわ
ざわ
え―― ただいま
管長《かんちょう》と協議《きょうぎ》しました
ところ
いまの ふしぎな雲《くも》の
使用《しよう》は 特例《とくれい》として
みとめることに
なりました！
ただし
みとめるのは
1回《かい》だけで
こんどまた
あの雲《くも》を
つかったばあいは
負《ま》けとなります！
いいですね！
げげ！
ぎっひっひ…
ざまあみろ！
まずいな
………
こんど
とばされたら
アウトじゃ
ないか…！
う〜む

ちょっと時間《じかん》がのびただけでどっちにしてもきさまの負《ま》けだぜっ!!
ズン ズン
わちゃちゃちゃちゃ!!!
ぐう…ん
これが最後《さいご》だ!!とっておきのパンチをプレゼントしてやる!!
うくくくくくくっ!!!
だっだめだーーーっ!!!!

とんでけ――っ!!!

い〜〜…ん
え!?
あ
あれ…?
どこだ…
あいつ どこに
いった…!?
あ……!
ああああ——っ!!
?
ぶらーーん
ぶらーー…ん
いっ!!?

シッポだ!!!
シッポが　また　はえた――っ!!!
シ…シッポ…!
シシ…シッポだって…!?
ご…悟空《ごくう》のシッポが…
ま…またはえた……
ポカ～…ン
たすかった――っ!
でも　こいつをほどかないと勝《か》てねえっ!!
むんっ!!

き
きさま
人間《にんげん》じゃ
ないのか…!?
ぐぬぬぬぬぬぬ～っ!!!!
ぶちっ
ぷひゃーっ!!
とけたっ!!!
へへっ!!!
オラ
やっぱし
シッポ
あったほうが
調子《ちょうし》が
いいなっ!!

どりゃ
!?
てーっ!!!
びょん
ドゴ!!

よしっ!! 快調《かいちょう》快調《かいちょう》!!
じろり
では 反撃《はんげき》開始《かいし》だ——っ!!!!
ま… まいった………!
そっ 孫選手《そんせんしゅ》 勝《か》ちました——っ!!!
やー わー すげえぞ——っ
それにしても シッポが あったとは まったく おどろきました——っ!!!
あわわ……
つ… つぎの満月《まんげつ》 いつかしら…!?
さ… さあ…

ドラゴンボール

DRAGON BALL

其《そ》之《の》四十一　クリリン対《たい》ジャッキー・チュン

勝《か》ちました
孫悟空《そんごくう》選手《せんしゅ》!!!
ちいさなカラダに
にあわず
すさまじい
パワーです!!
わー
わー
わー
へへへ…
第《だい》1試合《しあい》の
クリリン選手《せんしゅ》も
そうですが
おなじ亀マークの
ユニフォームを着《き》た
このふたりの強《つよ》さは
いったい なんなんで
ありましょうか!!
武道会
すごすご…
ここで ちょっと
ふたりに
インタビューして
みたいと
おもいます!
クリリン選手《せんしゅ》も
ご登場《とうじょう》して
ください!!
わー
わー
ギラン
孫悟空
ランファン
ナム
ヤムチャ
ジャッキー・チュン
クリリン
バクテ
のんきなこと
いってるばあいじゃ
ないわよ…!
悟空《ごくう》にシッポが
はえたのよ…!
満月《まんげつ》で
変身《へんしん》したら
武道会《ぶどうかい》どころの
さわぎじゃ
ないですね!
わー
わー
わー

パチ
パチ
パチ
パチ
パチ
パチ
なあ悟空《ごくう》…
おまえ
シッポなんて
はえてたのか?
うん!
いちど
とれちゃったけど
さっき また
はえてきたんだ!
いや いや
ふたりとも
準決勝《じゅんけっしょう》まで
きましたね
おめでとう!
ちいさいのに
まったく すごいですね!
クリリンくんは たしか
13歳《さい》でしたよね!
孫《そん》くんはなん歳《さい》ですか!?
すっ
なに? これ
オラに
くれるの?
バ
バカ!
これはマイクだ!
声《こえ》を おおきくする
機械《きかい》だよっ!
へえ!?
どっ

ははは… いまのギャグ けっこう うけた みたいですよ
ははは…
ハ ハジ かかせるなよ! ただ質問《しつもん》に こたえりゃ いいんだっ!
え……と …9…10 …11…12
12歳《さい》だ!
12!? おまえ 前《まえ》に 14歳《さい》だって いってたじゃ ないか!!
へへへ オラ 数《かず》の かぞえかた よくしらなかったけど この前《まえ》 じいちゃんに 算数《さんすう》ならっただろ! 11のつぎは12だった!
どははははは!!
12歳《さい》!? いくらなんでも チビすぎると おもったわ! 毛《け》も はえて なかったし…! ホントに バカ なんだから!
ほほお!! では この大会《たいかい》の 最年少《さいねんしょう》は 孫《そん》くんなんですね!!
なんだ悟空《ごくう》 おまえ オレより トシがチビ だつたのか!!
でも 背《せ》は オラより クリリンのほうが チビだぞ
ぎゃははははっ

ところで
孫《そん》くん
そのシッポのこと
だけど
ホンモノのシッポ
なんですか?
そうだよな
きゅうに
はえてきたなんて
おかしいもんな
だいたい
シッポのはえた
人間《にんげん》なんて
きいたことない
ぜ!
ホントの
シッポだって
ふり
ふり
ぺろん
ほれ!!
きゃーーっ!!
ぐはははは
はははっ!!
よ よせ!!
わかった
もう いいっ!!
み みっとも
ないこと
するなよっ!!
ホント
だろ!
き きみたち
わざと漫才《まんざい》を
しとるんじゃ
ないだろね…
ははははは
?

えー きみたちは おなじ ユニフォームを 着《き》ているんですが いったい なんという 道場《どうじょう》で ならったん ですか?
べつに 道場《どうじょう》なんて ありませんけど
ボクたちに 修業《しゅぎょう》して くださったのは 武天老師《むてんろうし》さまです!
むっ!!
武天老師《むてんろうし》さまっ!!!?
おおおおーっ!!!
天下一
む… 武天老師《むてんろうし》だって…!!
武天老師《むてんろうし》に 修業《しゅぎょう》を して もらった のか…!
ど どうりで あのチビたち すごいわけ だ……!!
あ あの 武術《ぶじゅつ》の神《かみ》だと いわれている 武天老師《むてんろうし》さまに ですか…!?
はい! ホントは もう弟子《でし》は とらないと いわれたんですが 特別《とくべつ》に

すっ すごい!! まったく すごい!! あの武天老師《むてんろうし》さまの 修業《しゅぎょう》をうけた 少年《しょうねん》たち!! けたはずれの強《つよ》さな わけです!!
……
ふふ…
ガク
それにしても まだ 生《い》きておられたん ですね あのかた!
あの… ジャッキー・チュンさん
ん?
あなたが ホントは…
武天老師《むてんろうし》 さまじゃ ないんですか!?
わしは
ジャッキー・チュンじゃ

さて　クリリンくん！
いよいよ
つぎの第《だい》5試合《しあい》が
はじまるわけですが
いかがですか!?
ジャッキー選手《せんしゅ》は
強敵《きょうてき》だとおもいますが
武天老師《むてんろうし》さまの
弟子《でし》なら　どうってこと
ないでしょ!?
はは　はい！
そうですね！
あいては
お年寄《としよ》り
ですし…！
いいえ　ぜったい
武天老師《むてんろうし》さまだ!!
あの技《わざ》も
スケベなところも
カオだって　よくみれば
そっくりじゃないですか!!
カツラなんでしょ
そのアタマ!!
さあ――っ!!
では　ついに　その
準決勝《じゅんけっしょう》
第《だい》5試合《しあい》が
はじまります!!
ジャッキー・チュン
選手《せんしゅ》も
ご登場《とうじょう》ください!!
うむ
いかねばの
他人《たにん》のそら似《に》
ということは
ありえんのだが…
……まあ
つぎの試合《しあい》を
じっくりみれば　さらに
ハッキリするはずだ

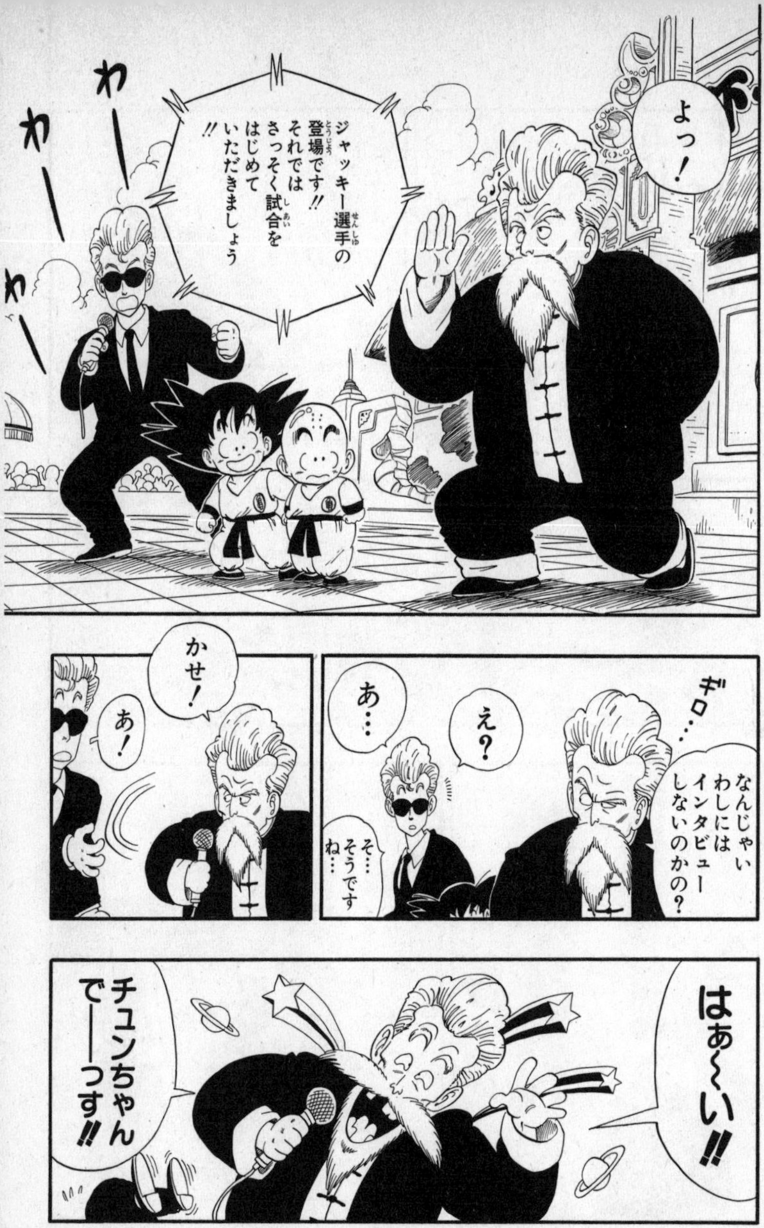
よっ!
ジャッキー選手《せんしゅ》の登場《とうじょう》です!! それではさっそく試合《しあい》をはじめていただきましょう!!
わーわーわー
ギロ…
なんじゃい わしにはインタビューしないのかの?
え?
あ…
そ…そうですね…
かせ!
あ!
はぁ〜い!!
チュンちゃんで──っす!!

わん つー
あわんつーすりー
ふぉう!!
ぼんぼん
ぼぼぼん ぼん
ばぼーーーん
あばっぱら
どぅわっ
ばっぴらっ!!
きゃわいい
あの娘《こ》は
女《おんな》のっ子《こ》
へへっへい!!
へへっへい!!
チチはあるけど
チンがないっ
ずんずば
ずびっぱ
たびどぅわっ
……
へいへい
へいっ
さそっちゃうぜ村祭《むらまつり》
ヘイヘイカモン
おいらのトラクター
のってけ のってけ
のってけてけてけ
タイコの
リズムに
のって踊《おど》れば
盆《ぼん》おどり!!
あばっぱらどぅわっ
ばっぴらっ!!

しゃばどぅび
でゅわっでぱっぴらっ♪
でゅーーわ〜〜〜
ビッ ビッ
ビッ ビッ
センキュー!!
センキュー!!
がっし
ほい
しーーーーん
……
……
だっ第《だい》5試《し》合《あい》はじめーーっ!!!!!

どどぉーん
亀
亀
ダッ
はーーっ!!!!!

タッ
ビッビッ
とっ!!!
ブンッ!
くくっ!!
バッバッ

でええーーっ!!!!
パシッ
むう……
やるのう……
わしに手《て》をださせるとは…
ばっ

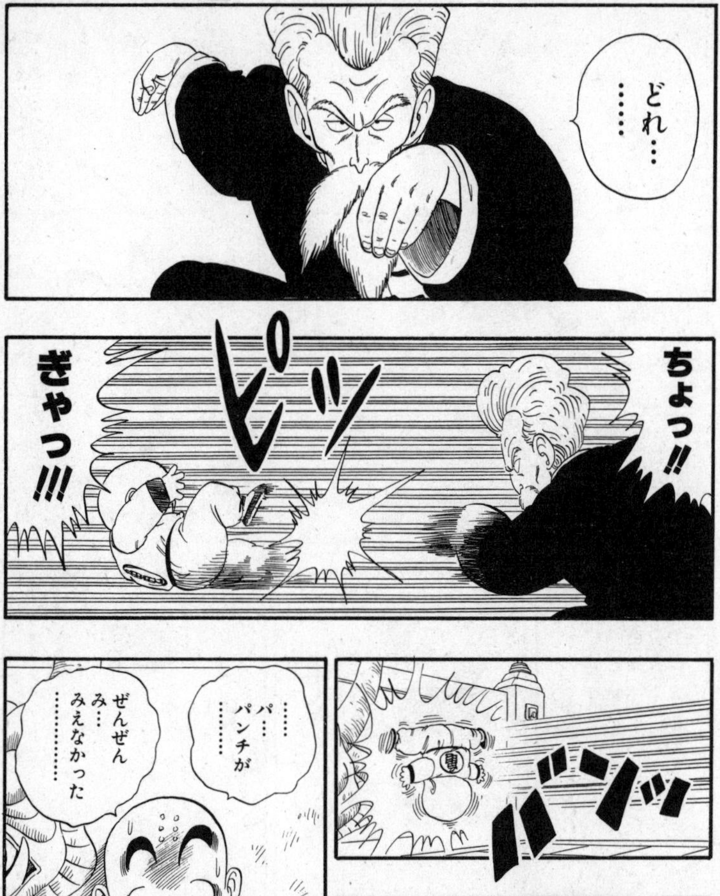

次《つぎ》は、其之《その》四十二　大攻防戦《だいこうぼうせん》！

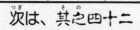

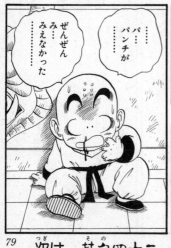

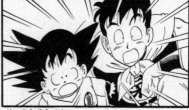

おーっ
ざわ
ざわ
ざわ
あわわわ………
そ…
そんな…
パ…パンチが
みえない
なんて……
す…すごい
はやさだ…
なにいってんだ！
よーーく
みてみろよ！
パンチみえたぜ！
修業《しゅぎょう》
しただろ
!!
そ
そうか？
クリリン選手《せんしゅ》
立《た》ちあがりました!!
いったい なにが
おこったのでしょうか!?
はやくて よく
わかりませんでしたが
わー
ャー

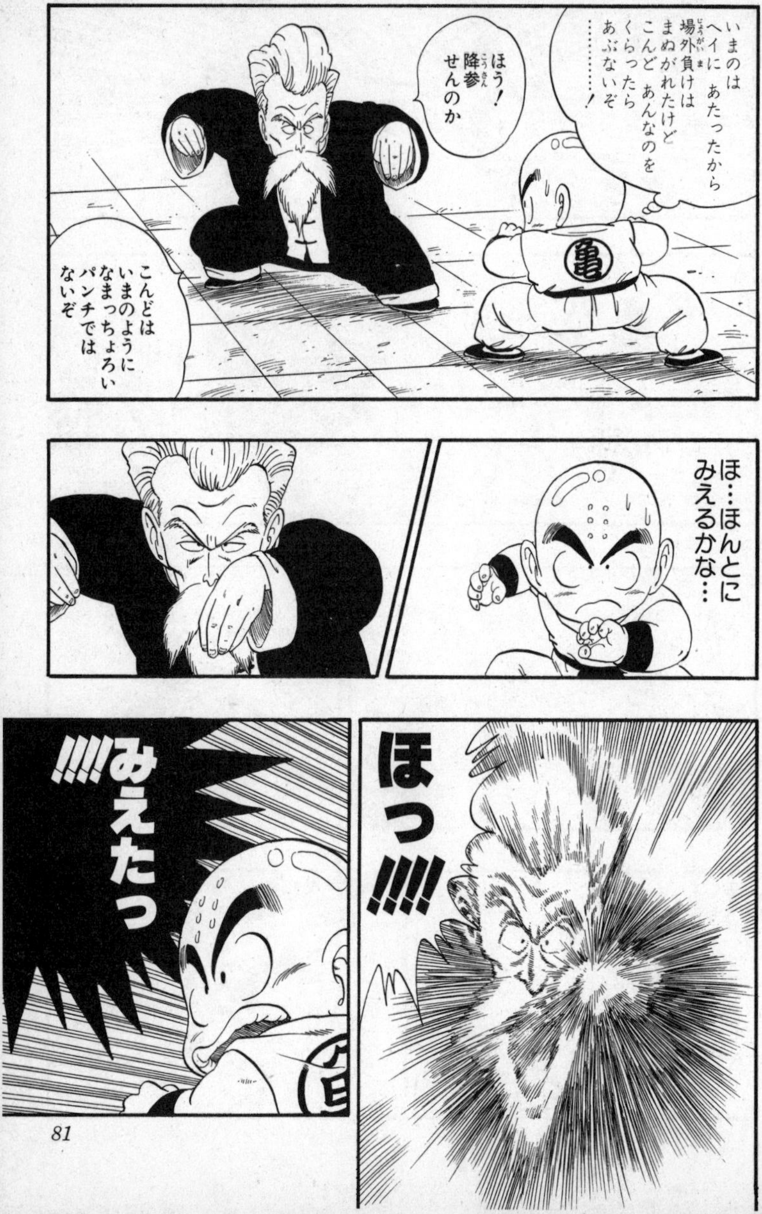
いまのは
ヘイに あたったから
場外《じょうがい》負《ま》けは
まぬがれたけど
こんど あんなのを
くらったら
あぶないぞ
……!
ほう!
降参《こうさん》
せんのか
こんどは
いまのように
なまっちょろい
パンチでは
ないぞ
ほ…ほんとに
みえるかな…
ほっ!!!!
みえたっ!!!!

ぱっ
タッ
トッ
……へ?
むむ〜……
よくぞ みきわめたの!
ほらみろ!! みえたじゃないかっ!!
ああっ!!
ざわ ざわ ざわ…
い いまのは いったい なんだったので しょうか…まったく みえませんでしたけど…

わしのスピードについてこれたやつは
ひさしぶりじゃのう…
あ あたりまえですよ！
ボクは武天老師《むてんろうし》さまというすごい人《ひと》の弟子《でし》ですからね！
ほ———っ!!!!
は———っ!!!!
カカッ

ポカ〜〜ン…
……
グラ…
ドテ!!
あちゃ〜〜〜!
おおおーっ!!!
ダッ ダウン!!! ダウンしました クリリン選《せん》手《しゅ》っ!!!!!

カッ カウントがはいりますっ!!!
ワン……ツー
…スリー…
フォー…
立《た》て
クリリン!!!
負《ま》けちゃうぞ!!!
がんばれよっ!!!!
ファイブ…
…シックス…
……セブン
……
クリリンっ
てば!!!
エイト
……
むく…
あ…あたっ!!
あちちち
ち……!!
たつ 立《た》った!!!
立《た》ちました
──っ!!!
いって
〜〜……!
やった
──っ
えらいっ!!

わーっ
パチパチ
パチパチ
ふふふ…
あれほど　くらっても
立《た》ちあがれたか…
どうやら　まじめに
修業《しゅぎょう》したようじゃのう
あ
あの～
……
ん？
試合中《しあいちゅう》
すいません
けど…
あのー
さっきの一瞬《しゅん》
なにが　おこったのか
てんで　わからなかったん
ですけど…
おしえて
くれませ
ん？
しようが
ないのう
おしえて
あげるから
よーーく
みておくんじゃぞ
まず
わしが
こう
むかったん
じゃ
ほ～

そこへクリリンがむかえうつ
は〜
ふむふむ
…でわしが蹴《け》りをだす…
とお〜
その蹴《け》りをボクは　こうよけました
…おおおお…
そしてあいての顔面《がんめん》にむかってパンチをだしたのですが…
えいいい…
ぺっぺっぺっ
…と　こぶしにツバをかけようとしたので　きたなくてひっこめました
そのすきにわしは　左手《ひだりて》でパンチをくらわそうとしたのじゃが…
こんどはこいつがハナクソをとばしたのでひっこめた
ふんっふんっ
そこで　わしは作戦《さくせん》をかえることにした
うーむ

クリリンも作戦《さくせん》を練《ね》った…
うむむ……
ここまでで約《やく》0・2秒《びょう》です
一瞬《しゅん》はやくわしの作戦《さくせん》がきまった
よしこれでいこう
ジャンケンしようぜ
なに!?よおしいいとも
…と おもわずいってしまったのが失敗《しっぱい》でした
ジャ〜ン〜〜〜〜〜ケ〜ン〜〜…
ほい〜
あっ
あっちむいて
ほい
えい
ここで ついつられて真剣《しんけん》に「あっちむいてほい」を やってしまったボクがバカでした
わははバカめ！ スキをみせたな
えっ!?
すかさずわしはジャンプして…

おい ちょっと わしを もちあげて くれ
あ はい!
ジャンプの シーン ですね!
…で わしは こうジャンプ して…
くくっ!!
こう うしろ蹴《げ》り したのじゃ
すこ――ん
はい そのまま ず〜〜〜っと 運《はこ》んでくれ
カッコよく フィニッシュを きめるシーンじゃ
はっ はい!
た たしか このあたりでしたね 着地《ちゃくち》は…!
すたん
と こう カッコよく きめたんじゃ!
ねえ こっちも てつだって よ
後頭部《こうとうぶ》に キックをうけて ボクは とばされ ました
こ こう ですね?

ここんとこで
くるっと
1回転《かいてん》して…
く…るっ
……と
とばされながらも
なんとか体勢《たいせい》を
たてなおして
着地《ちゃくち》したの
ですが
やはり
ダメージは
おおきくて
バッタリと
たおれて
しまったのです
こ…ここ…
これだけのことを
あ…あの
一瞬《しゅん》で…!?
ごっくん
すっ　すごいっ!!!!
まったく
すばらしいっ!!!!
これほどの驚異《きょうい》の
早技《はやわざ》は　ハッキリいって
はじめてです
――っ!!!!
うおおおおおおっ!!
えっへん

ではひきつづき試合《しあい》をどうぞ!!
ささっ
実力《じつりょく》はジャッキー・チュンのほうが圧倒的《あっとうてき》に上《うえ》だ…まともに闘《たたか》っては負《ま》けはあきらか…
もしものときを考《かんが》えてよういしておいてよかった…!
はいっ!!
ぽいっ
んっ!?
ぱさ
ギャルのぱんてぃ

おおーっ!!!
かかったな!!!!!
BAKOO..M!

しっ!!
しまった——っ!!!!
天下一武道会
やった——っ!!!!
まっ まさか!!! あの人《ひと》が武天老師《むてんろうし》ならこんなことで負《ま》けるはずは…!!!
勝《か》った!!!!
巧《たく》みな作戦《さくせん》でジャッキー・チュンを場外《じょうがい》にとばしたクリリン!!!! 勝利《しょうり》は確実《かくじつ》だ!!!!

クリリンの巧《たく》みなパンツ作戦《さくせん》に
まんまと　ひっかかったジャッキー・
チュンは　キックをまともに受《う》け
場外《じょうがい》に　はじきとばされて
しまったのだ!!!!
しっ しまった ——っ!!!!
つい パンチーに つられてしもうた ——っ!!!
おーーっと ジャッキー・チュン選手《せんしゅ》 なさけない負《ま》けかたです!! さすがに これは どうしようもない!!
かっ 勝《か》ったぞ ——っ!!!
おおおーーっ!!
も もし あの老人《ろうじん》の正体《しょうたい》が 武天老師《むてんろうし》だと したなら なんとか するはず…!!

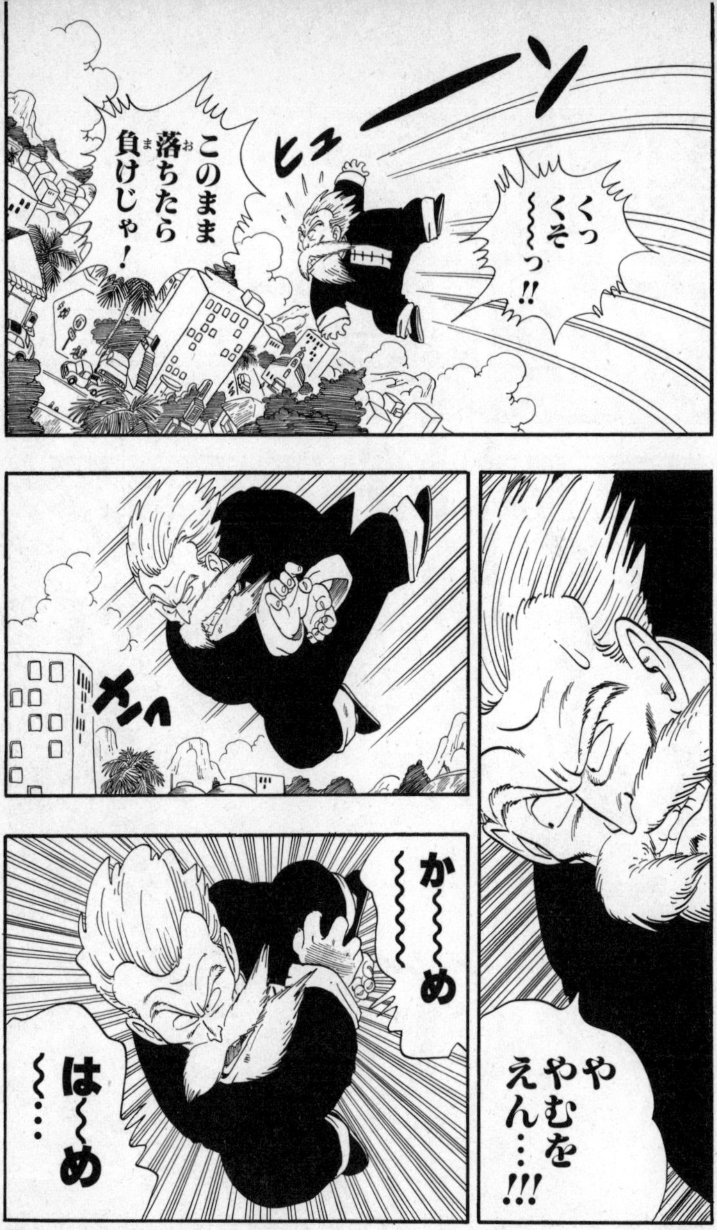
くっ くそ〜〜〜っ!!
ヒューン
このまま落《お》ちたら負《ま》けじゃ!
や やむをえん…!!!
か〜〜め
は〜〜め〜…

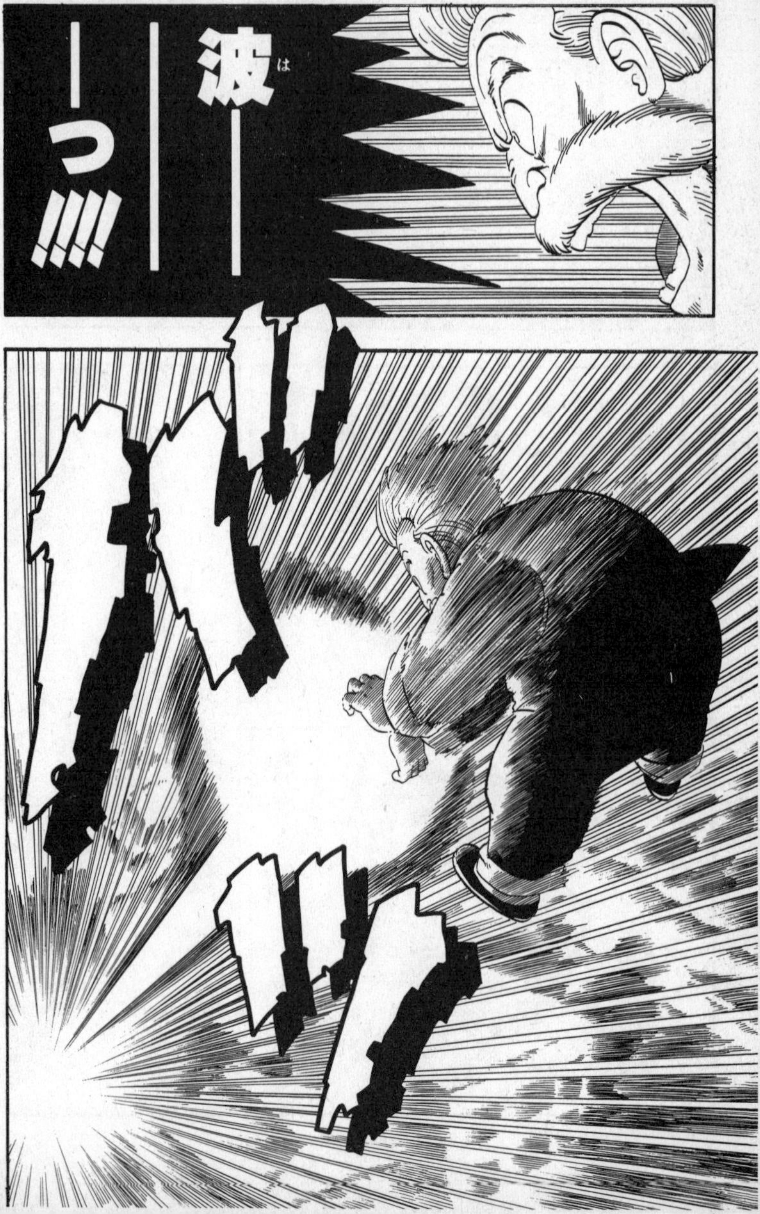
波《は》ーーっ!!!!

ギュアアッ!!
!!
あああっ!!!!!
え!?

……
ゴォーーッ
くるん
とん
ただいま
ぺこん
げげっ!?
ななな…な…
なんだなんだ~~~~っ!!!?

ポッカ〜〜〜〜〜ーン
…………
い…い…
いまの
どこかで
みたこと
ない…?
か…
かめはめ波《は》
だ………!!
いっ いまの
かめはめ波《は》
だろっ!?
まあね
か…
かめはめ波《は》…
か…
かめはめ波《は》
だって…!?
そ…
そんな…
まさか…!
すすっ すごいっ!!!
かめはめ波《は》ですっ!!!
なんと
かめはめ波《は》が
でましたーっ!!!
この技《わざ》が できるのは
世界《せかい》で ただひとり
あの武天老師《むてんろうし》さまだけだと
きいておりましたが
ここに もうひとり
いたのです———っ!!!!
おおおーーっ!!

わたくし かめはめ波《は》という技《わざ》を はじめて みました!!! まったく すごい技《わざ》です!! おどろきました――っ!!!
ワー
ワー
なにを いっとるか 武天老師《むてんろうし》本人《ほんにん》だ!! やっぱり 武天老師《むてんろうし》だったんだ!!
それにしても ジャッキー・チュン選手《せんしゅ》 まったく無名《むめい》の 老人《ろうじん》であるにかかわらず つぎつぎと多彩《たさい》な技《わざ》を くりだしてきます!! すごい すごい!! おそろしい強《つよ》さ!!
ワー
ワー
ワー
女《おんな》の子《こ》なら サインして あげてもいいぞ
すっ
さて…と
あんまり長引《ながび》いて 決勝戦《けっしょうせん》にさしつかえても いかんからの ここらで 終《お》わらすか…
ご 悟空《ごくう》っ!! ど どうしたら いいかなっ!!
勝《か》て!! 勝《か》つしか ないっ!!
ア アドバイスに なっとらんじゃ ないか…!
く… くそ〜〜〜

え———い
こうなったら
あたって砕《くだ》けろだっ!!!
バカめ…
ヤケになっては
あいての
おもうつぼじゃぞ!
ほっ!
ドガッ!
い
いってえ〜〜〜っ!!
ふあっはっは…
砕《くだ》けたのは
門《もん》のほう
じゃったな

うっ うるさい!! だまれっ!!!
ダーッ
ブンッ
えっ!?
ちがう クリリン!! うしろだっ!! うしろにまわったぞ――っ!!!
へ!?

とん
あ……
グラ…
ズン…
ピース
ダッ ダウン!!!
ダウンです
クリリン選手《せんしゅ》ーっ!!!
ワ ワン!…ツー!
…スリー!…
カウントするだけムダじゃよ
しばらく立《た》てやせん…

だ…
だめだ…
……セブン
……エイト
……ナイン
テン!!!
クリリン選手《せんしゅ》
ノックアウト!!!
ジャッキー・チュン
選手《せんしゅ》 勝《か》ちました
——っ!!!!
おおおお——っ!
わー
わー
な…
なんてスピード
だ…
ざ…残像《ざんぞう》を
のこしてうしろに
まわるとは…
わー
えっほ
わー
えっほ
わー
わー
あら
〜…
クリリンが
負《ま》けちゃっ
た…

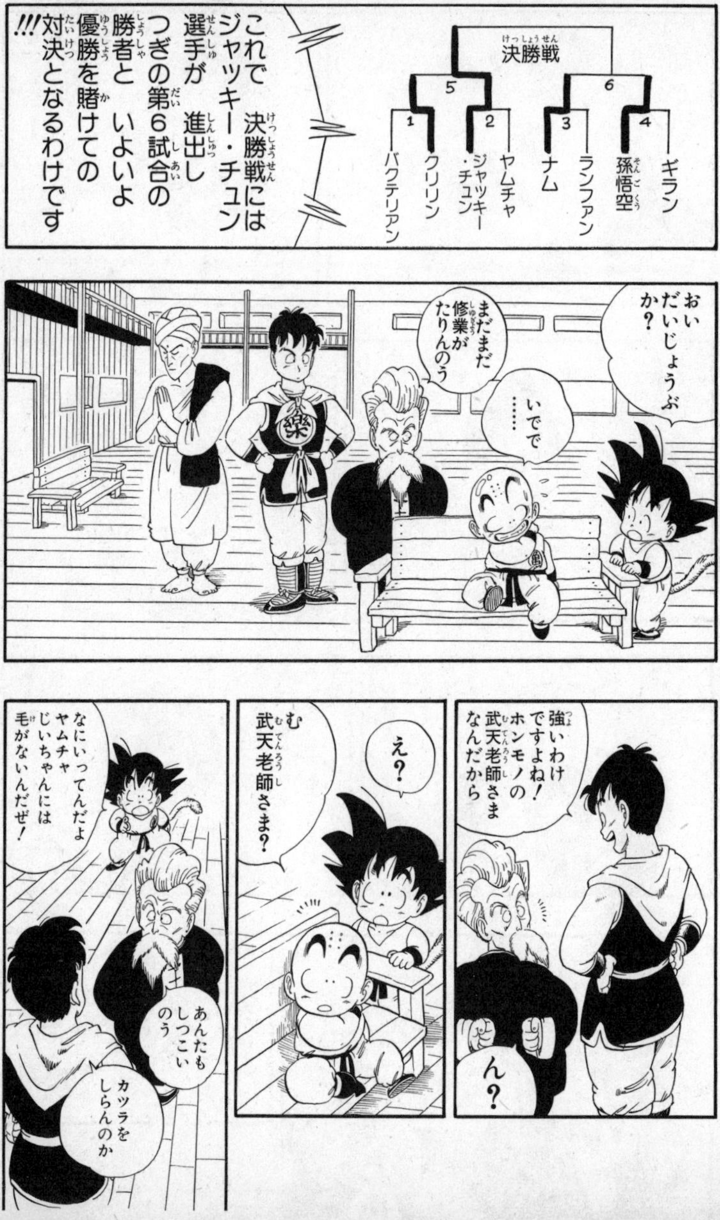
決勝戦《けっしょうせん》
5
6
1
2
3
4
ギラン
孫悟空《そんごくう》
ランファン
ナム
ヤムチャ
ジャッキー・チュン
クリリン
バクテリアン
これで 決勝戦《けっしょうせん》には ジャッキー・チュン 選手《せんしゅ》が 進出《しんしゅつ》し つぎの第《だい》6試《し》合《あい》の 勝者《しょうしゃ》と いよいよ 優勝《ゆうしょう》を賭《か》けての 対決《たいけつ》となるわけです!!!
おい だいじょうぶか？
……いでで
まだまだ 修業《しゅぎょう》が たりんのう
強《つよ》いわけ ですよね！ ホンモノの 武天老師《むてんろうし》さま なんだから
ん？
え？
む 武天老師《むてんろうし》さま？
なにいってんだよ ヤムチャ じいちゃんには 毛《け》がないんだぜ！
あんたも しつこい のう
カツラを しらんのか

すいません! ちょっと しつれい
むんず
なっ なにをするんじゃ!!
えいっ!!
ぐいっ
いぢぢぢっ!!!
あ…… …れ?
いて〜〜〜の〜〜〜!
わかった!! その髪《かみ》がホンモノで ふだんのハゲ頭《あたま》がカツラなんだ!!
わざわざ ハゲのカツラを かぶるやつが おるかいっ!!!
そうだ 悟空《ごくう》っ!!
おまえ 鼻《はな》が きくだろ!! ニオイで武天老師《むてんろうし》さまか どうか わかるはずだっ!!
そう いわれてみると よく にてますね… 声《こえ》まで…
くん くん
………
よく わかんねえ な…
へんな ニオイが ジャマして…
あ…! こ 香水《こうすい》か!!
紳士《しんし》じゃ からな
シュッ シュッ

それでは　いよいよ
第《だい》6試合《しあい》をはじめます!!
孫《そん》悟《ご》空《くう》選《せん》手《しゅ》
ナム選《せん》手《しゅ》
ご登《とう》場《じょう》くださ──い!!
わーわー
悟空《ごくう》っ!!
決勝《けっしょう》までいって
ボクのカタキ
うってくれよなっ!!
おまえなら　ぜったい
優勝《ゆうしょう》できるぞっ!!
うん
がんばる!!
ザッ
わーわー
う〜む
あいかわらず
マジなカオ
じゃのう…
ぜったい
武《む》天《てん》老《ろう》師《し》だと
おもうんだが
なあ……
つづく

其《そ》之《の》四十四　孫《そん》悟《ご》空《くう》対《たい》ナム

さて のこる試合《しあい》は あと ふたつ!!! いよいよ第《だい》6試合《しあい》 準決勝戦《じゅんけっしょうせん》が はじまります!!!
この試合《しあい》の 勝者《しょうしゃ》が 決勝戦《けっしょうせん》で ジャッキー・チュン選手《せんしゅ》と闘《たたか》うのです!!
ナム選手《せんしゅ》が 勝《か》つか!! 孫悟空《そんごくう》選手《せんしゅ》が 勝《か》つか!!
わーー
わーー
わーー
イッチニ サンッシ
決勝《けっしょう》まで あとわずか! 優勝賞金《ゆうしょうしょうきん》 50万《まん》ゼニーを 手《て》にするのは いったい だれか!!
ピク‥
50万《まん》 ゼニー ……

母《はは》よ　弟《おとうと》よ　そして村《むら》のみんなよ…
かならずや優勝《ゆうしょう》して　あふれんばかりの
水《みず》を買《か》って帰《かえ》るからな……!!
悟空《ごくう》!!ぜったい優勝《ゆうしょう》しろよ──っ!
優勝《ゆうしょう》したらごちそうしてよね──っ
やい
やい
おうっ!!
では第《だい》6試合《しあい》はじめてくださ──い!!!
さっ
ささっ

そうだ！
さつきクリリンがジャッキーのじいちゃんにやられた技《わざ》マネしてみよつと！
にた
ぶんっ！
んっ!?
たーーっ!!!
ぱっ

OMAKE
なんでもないページ

しゃっ
ありゃ!!
ほうっ!!!
ガッ

バッ
バッ
ありゃ〜〜
うまく できたと おもったんだ けどな〜
なっ なんてやつだ 悟空《ごくう》は!! あっさりと あんたの技《わざ》を マネしてのけた ぞ!!
むむむ〜っ そ それにしても あの技《わざ》をみきった ナムもすごい…!!
たーーっ はっ!! はっ!!
ガッ
ガッ

はい!!
はい!!
はい!!
ガッ
ガッ
ガッ
バキッ
てっ!!
ゴッ
わっ!!
でえっ!!

バン
ぐっ!!!
ガッ
てーーっー!!!

おおおち〜っ!!
この勝《しょう》負《ぶ》いただきましたっ!!!
ダッ
場外《じょうがい》に落《お》とさせていただきます——っ!!

くるっ
えいっ!!
わっ!!
ドシッ
シ…シッポか……!
へへーっ いいでしょ～
プル プル
すすっ すごいっ!!! すさまじい大攻《だいこう》防戦《ぼうせん》です!!! どちらも一歩《ぽ》もひきませんっ!!!
おおおぉ
天下一武道会

カー
カー
カー
どうやって闘《たたか》おうかな〜……
お！
へへへ〜
あたらしい技《わざ》かんがえちゃったもんねー
え!?
いくぞっ!!
せーの…
きゅるるるるっ!!

ぎゅいいーん
なっ
なんだっ
!?
ぎゅいいい…!!
いっ!?
ばごっ
ぎゃっ!!!

ぐぐっ!!
バッ
こっ これは すさまじいっ!!
とても近《ちか》よれん…
逃《に》げるしかない…!!
ぎゅいい〜ん
さささ〜っ
あっ!!
しっ しまった——っ!!!
ぎゅいい…ん

ダ…ダメだっ!!!
もうどうしようもない…!!
ま…負《ま》けたーーっ!!!
ぐいん
ぐいん
ぐいん
ぐいん…
へ!?
ドテ…
はひ〜〜〜
め…め…目《め》が…まわる…

おわっと!!!
ガキッ
あ…あぶないあぶない!!
ズッコケて負《ま》けてしまうところだった!
自《みずか》ら墓穴《ぼけつ》をほったな!
これはハッキリいってチャンス!!
このまま場外《じょうがい》に落《お》とせば勝《か》ちだがまたシッポにからみつかれるかもしれん………
しからば手段《しゅだん》はひとつ!!
はあっ!!
天《てん》から攻《せ》める!!!

シュオーーーッ
あ――――っ!!!
ナム選手《せんしゅ》
ものすごい大《だい》ジャンプ――ッ!!!
空《そら》高《たか》く
舞《ま》いあがった
――――っ!!!
あ……
あ……!!
うけてみよ!!
天空《てんくう》×《ぺけ》字《じ》拳《けん》!!!
あはあああ――――!!!

許《ゆる》せ 少年《しょうねん》よ!! 悪《わる》いが 勝《か》たせて もらうぞ!! 村《むら》のみんなが わたしの 帰《かえ》りをまって いるのだ…!!!
こっ これは やばい…!! あぶないぞ 孫選手《そんせんしゅ》!!!
ごっ 悟空《ごくう》っ!! 目《め》をさませ ——っ!!!
…へ?
南《な》無《む》阿《あ》弥《み》陀《だ》仏《ぶつ》!!!!
つづく!

次《つぎ》は、其之《その》四十五　大空中戦《だいくうちゅうせん》!

自《みずか》らの技《わざ》で目《め》をまわした悟空《ごくう》にナムの天空《てんくう》×字拳《ぺけじけん》が襲《おそ》いかかる!!!!!
南《な》無《む》阿《あ》弥《み》陀《だ》仏《ぶつ》ーーっ!!!
へ?

!!
!!
……が……
し－－－－－ん
カウントをしてください……
下一 武道会

あ…！
ワ…ワン…ツー……
ま…まともにくらっちまった………
むむ～…あれではとても立《た》ちあがれんよ…
ご…ご…悟空《ごくう》…
わたしも仏《ほとけ》を信《しん》ずる者《もの》…殺生《せっしょう》はいたしません…
ただしあの技《わざ》を受《う》けてしまうと10日《か》間《かん》は目《め》が覚《さ》めません…
ファイブ……
シックス……
……
ご…悟空《ごくう》が負《ま》けちまった……そんな…
セブン…
…エイト
……
天下一武道会
ナイン…
ピク…
ん？

はずっ
………テ…
!!
ゲホッ
ゲホッ
きいたぁ〜〜〜っ!

立《た》った!!!!
なな…なんちゅう やつじゃ…!
すげえっ!!!
ま…まさか…そんな…
うおおおっ
すごい!
すごい!!
すごい!!!!
すごい!!!!
まったく
すごい!!!!
天下一武道
わー
わー
孫選手《そんせんしゅ》 おそるべきがんじょうなカラダ!!! 技《わざ》を しかけたナム選手《せんしゅ》のほうがボウ然《ぜん》としております!!!
わ

バ…バカな！あの技《わざ》をうけて立《た》ちあがれるわけはない！…
わー
わー
コキッ
コキッ
………そ　そうか！きっと　わずかに的《まと》がはずれたにちがいない…！
しからばいまいちど…!!こんどこそはぜったいに勝負《しょうぶ》を決《き》めてみせる!!!
はあっ!!!
ババッ
シューン…!!
あっ

ギュオオーーーッ
おおおっ!!!
ナム選手《せんしゅ》またしてもとびあがりましたっ!!!
こんどは　さらに飛距離《ひきょり》をのばした大《だい》ジャンプですっ!!!
豆《まめ》ツブのようにちいさくなってしまいましたーーっ!!!
よぉーーーし!
オラも!
ぐっ
バッ!!
ビュッ

よぉし 受《う》けてみろ!! 超天空×字拳《ちょうてんくうぺけじけん》!!!!
はああ――っ!!!
シュン
ギュアッ
へ!?
しまった!! いきすぎちゃった!!
げっ!!

キキーッ
でええ——い!!!
キーン
なっ なんというやつだっ!!
おいついたっ!!
バッ
くっ!!
ヒュ——ン
おのれ——っ!!
ばっ
ばっ

ヒューーン
たっ!!!
ブッ
ギューン
へへっ!!
くっ
くそっ!!!
ギューン
なっ なんと 空中《くうちゅう》で 激戦《げきせん》が くりひろげられて おります!!!
はっきりとは みえませんが かつてない 闘《たたか》いかたに わたくしも とまどって おります!!
それにしても 首《くび》が つかれました――っ!!

ギュアアーーッ
やっと降《お》りてきました!!!孫《そん》選《せん》手《しゅ》のほうがやや速《はや》いようです──っ!!
いける!!!
けっきょくこの勝《しょう》負《ぶ》 わたくしがいただきました──っ!!

勝《か》った!!
ドン
おおり
パッ
ガッ
ていっ!!!

ドサ…
ニコッ
かっか…かか…
勝《か》つた!!!
勝《か》ちました
孫悟空選手《そんごくうせんしゅ》
——っ!!!
ナム選手《せんしゅ》
無念《むねん》の場外負《じょうがいま》け!!
まったく すばらしい
勝負《しょうぶ》でした!!!
孫選手《そんせんしゅ》いよいよ
決勝《けっしょう》ですーっ!!!
うおおぉ〜〜
やった
やったぞ——っ
つ…
強《つよ》い…
ま…まさか
このわしが
負《ま》けんじゃろな

次《つぎ》は、其之《その》四十六　大決勝戦《だいけつしょうせん》

勝《か》ちました!! 孫《そん》悟《ご》空《くう》選手《せんしゅ》!! ちいさな少年《しょうねん》ながら まったくもって すばらしいファイトを みせてくれます!!
わーーー
これで いよいよ 決勝戦《けっしょうせん》を 残《のこ》すのみとなり 圧倒的《あっとうてき》な強《つよ》さを誇《ほこ》る ジャッキー・チュン選手《せんしゅ》と 闘《たたか》うことに なりましたーっ!!
わーー
わーー
やったな 悟空《ごくう》っ!!!
わーー
わーー
へへっ!!
すげえぞ もう 優勝《ゆうしょう》だって きまりだ ーーっ!!
かっこ よかった わよーっ!!
強《つよ》いっ!!!

すごい…!! あいつ ますます 腕《うで》をあげたな… もう とても たちうちできん
う〜むむむ… あそこまで やるとはのう…
こりゃ なめてかかると とんでもないめに あいそうじゃわい…
パチ パチ パチ パチ パチ
苦敗《くはい》をきっした ナム選手《せんしゅ》 さすがに 無念《むねん》そうであります!! それにしても まことに すばらしい勝負《しょうぶ》を 披露《ひろう》して くれました!!
少年《しょうねん》よ 完全《かんぜん》に わたしの 負《ま》けだ… おめでとう 優勝《ゆうしょう》すると いいな
うん! ありがとう!!
さて とうとう 文字《もじ》どおり 天下一《てんかいち》を決定《けってい》する 決勝戦《けっしょうせん》を 残《のこ》すのみと なりました!!!
天下一
10分間《ぶんかん》の インターバルを おき いよいよ決戦《けっせん》の 火《ひ》ぶたが きられるわけです!! 今大会《こんたいかい》の天下一《てんかいち》は 孫選手《そんせんしゅ》か!! はたまたジャッキー選手《せんしゅ》か!!

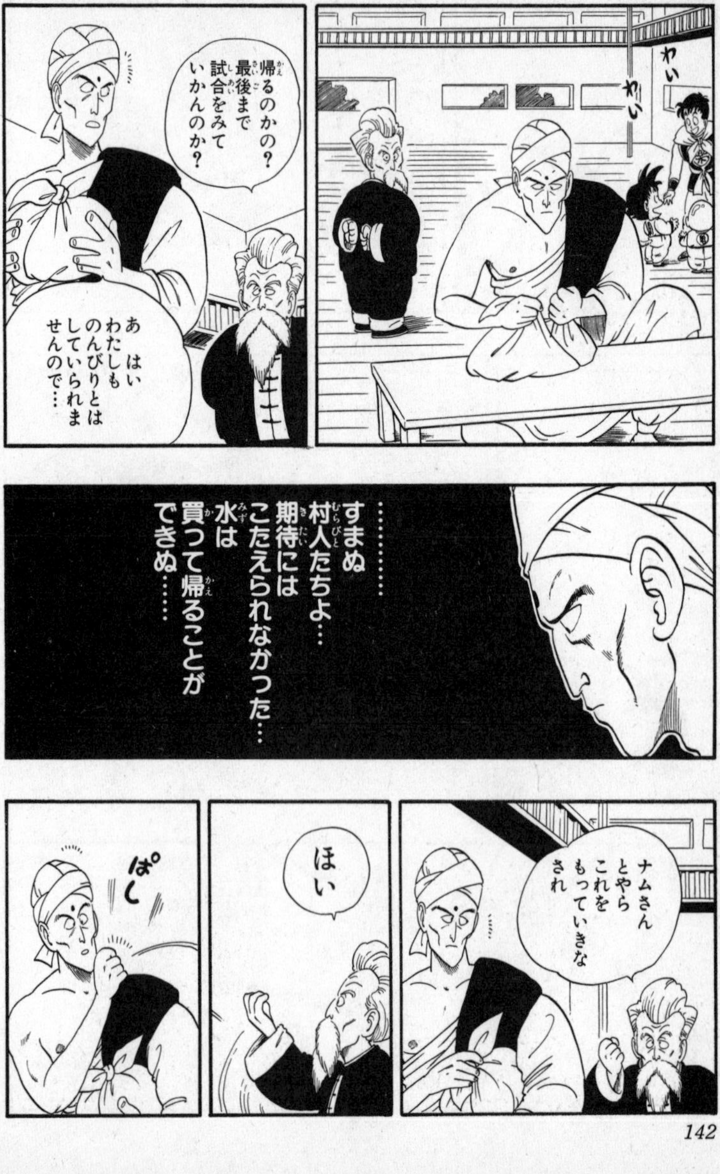
わい
わい
帰《かえ》るのかの？最後《さいご》まで試合《しあい》をみていかんのか？
あ　はい　わたしものんびりとはしていられませんので…
………すまぬ　村人《むらびと》たちよ…　期待《きたい》にはこたえられなかった…　水《みず》は買《か》って帰《かえ》ることができぬ……
ナムさんとやら　これをもっていきなされ
ほい
ぱし

こ…
これは…
ホイポイカプセルではありませんかいったい…
なあに
なかみはなんにもはいっとりゃせん
……?
たっぷりの水《みず》でもカプセルにいれてちいさくすればラクに持《も》って帰《かえ》れるぞい
ど…
どうして水《みず》のことを………!?
わしは武《む》天《てん》老《ろう》師《し》じゃ
それぐらいはみぬけるぞよ

や やはり あなたは 武天老師《むてんろうし》さまで…
しーっ しーっ
き… きこえんかった じゃろな…!
な…なぜ 変装《へんそう》なさってまで この大会《たいかい》に…?
おぬしも しっておるじゃろが この武道会《ぶどうかい》には わしの ふたりの 弟子《でし》が でておる クリリンと 悟空《ごくう》じゃ…
この ふたりは 修業《しゅぎょう》で わしの予想《よそう》をも 上《うわ》まわって どんどん 力《ちから》を つけだした…
とくに悟空《ごくう》は もともとの野生《やせい》というか 天性《てんせい》の強《つよ》さも てつだって 信《しん》じられんような パワーを秘《ひ》めておる
おぬしも 闘《たたか》って よく わかったじゃろが…
そこで 力《ちから》だめしにと 天下一武道会《てんかいちぶどうかい》に 出場《しゅつじょう》させたの じゃが…

あのふたりは とにかく 強《つよ》すぎる
もしかして 優勝《ゆうしょう》してしまう かもしれんとおもったのじゃ…
しかし まだまだ あのとおりのガキんちょじゃ ここで優勝《ゆうしょう》してしまえば おちょうしにのって これからの さまざまな 人生《じんせい》の修業《しゅぎょう》にも 身《み》がはいらんじゃろ…
やつらには もっと もっと すばらしい 大《おお》きな武道家《ぶどうか》に なってほしい!
そこで このわしも 出場《しゅつじょう》することに したのじゃ こうして変装《へんそう》し この ひろい世《よ》には 上《うえ》には上《うえ》が たくさん いるもんじゃと おしえるためにのう
と いうことは やはり その髪《かみ》は カツラですか?
バリ バリ
うむ ちっとやそっとでは とれんように接着剤《せっちゃくざい》で くっつけてあるから かゆくてしゃあないわい
あなたと お話《はなし》ができて 光栄《こうえい》です…
ところで せっかくいただいた このカプセルですが お返《かえ》し いたします ……
おはずかしい 話《はなし》なんですが かんじんの水《みず》を買《か》う お金《かね》が ないのです…
ほっほっほ ……

このあたりは 水《みず》が豊富《ほうふ》で どんなに使《つか》おうが タダじゃよ 売《う》ってくれなんて いったら わらわれるぞい
な…
なんと……!!!
さあっ!!! いよいよ決勝戦《けっしょうせん》を はじめます!!! ジャッキー・チュン選手《せんしゅ》 孫《そん》悟《ご》空《くう》選手《せんしゅ》 ご登場《とうじょう》ください ――っ!!
さーーて
あと1試合《しあい》じゃ がんばってくるかの…
あ ありがとう ございました 武天老《むてんろう》…いや ジャッキーどの!!
この ご恩《おん》は けっして わすれません!!
わすれて いいよ じゃーね

そうじゃ
すまんがひとつだけたのまれてくれんか？
は？
ご来場《らいじょう》の皆様《みなさま》!! いよいよ決定的《けっていてき》な瞬間《しゅんかん》がやってまいりました!!! 天下一武道会《てんかいちぶどうかい》の決勝戦《けっしょうせん》であります!!!
はたして今大会《こんたいかい》の天下一《てんかいち》は孫選手《そんせんしゅ》か!! ジャッキー選手《せんしゅ》か!! こどもが勝《か》つか!! おじいさんが勝《か》つか!! ついにクライマックスをむかえましたーっ!!!
ワーー
ワー
ワー
ワー
ワー
ワー
天下一武道会

悟空《ごくう》がんばれよっ!! ぜったい優勝《ゆうしょう》だぞっ!!
がんばるさっ!
弟子《でし》には負《ま》けられませんね
わしゃ武天老師《むてんろうし》じゃないっちゅうとるのに! くどいやっちゃのう…
これいじょうとぼけたってダメですよ オレにはわかってるんだから
おや?
ほれほれ!! あそこみてみい! あのかたが武天老師《むてんろうし》じゃないのか!?
わーわー
え!?
あっ!!!
わーわー
わーわー
そそ…そんな…!!
ほんとだ………
じゃ…じゃあ あなたは武天老師《むてんろうし》さまじゃ…
だからちがうといったじゃろが!

では
両《りょう》選《せん》手《しゅ》!!
どうぞ――っ!!!
おい
あのじいさん
武天老師《むてんろうし》じゃ
なかった…
なんだ～
やっぱり
ちがうのか?
そりゃあ
そうでしょ
武天老師《むてんろうし》さまが
武道会《ぶどうかい》に
でるわけない
もんな
世《よ》の中《なか》には 亀仙人《かめせんにん》の
じいちゃんのほかにも
強《つよ》いやつがいるもんだな!
わー
わー
わ
では…
わー
わー
おや?
孫《そん》くん
やけに
うれしそう
ですね!
うん! あんな強《つよ》い
じいちゃんと
闘《たたか》えて わくわく
するんだ!

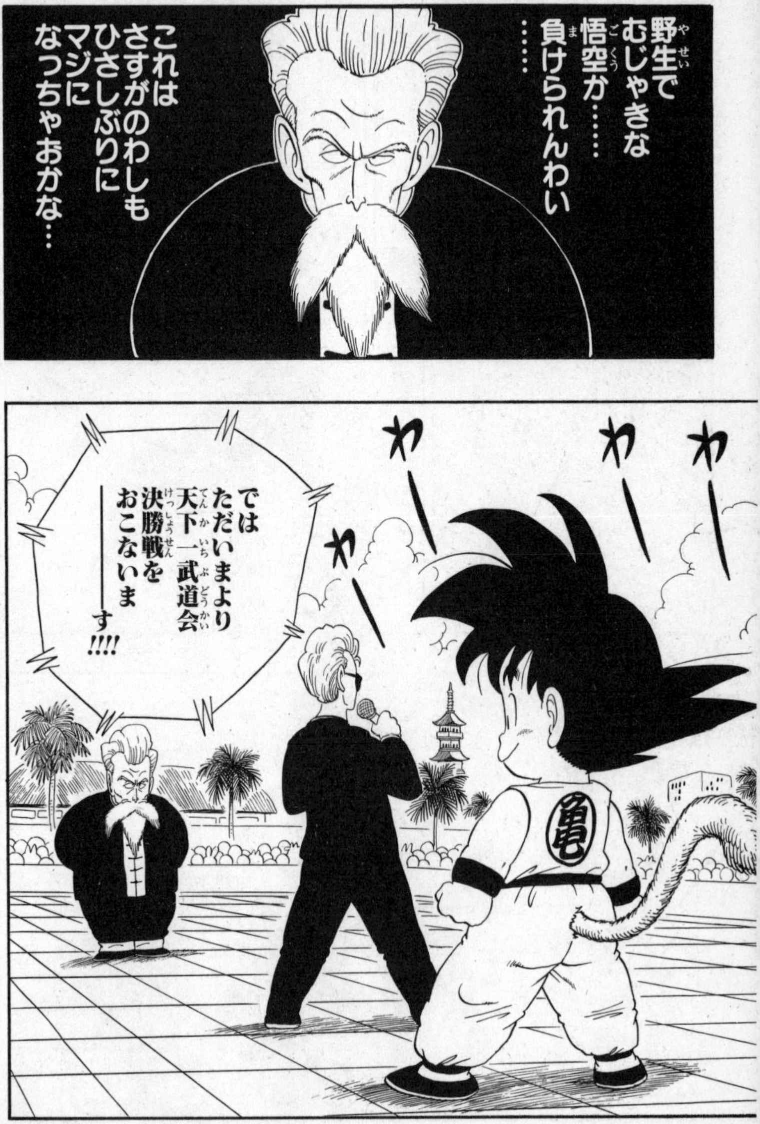
野生《やせい》でむじゃきな悟空《ごくう》か……負《ま》けられんわい……
これはさすがのわしもひさしぶりにマジになっちゃおかな…
ワー
ワー
ワー
ワー
ではただいまより天下一武道会《てんかいちぶどうかい》決勝戦《けっしょうせん》をおこないま――す!!!!

す…
手《て》かげんなしじゃぞ
オラだって！
さ…

し〜〜〜〜ん
ゴク…
決《けっ》勝《しょう》戦《せん》はじめ——っ!!!!!!

次《つぎ》は、其《そ》之《の》四十七　かめはめ波《は》

さあっ!!! いよいよ はじまりました 天《てん》下《か》一《いち》武《ぶ》道《どう》会《かい》 決《けっ》勝《しょう》戦《せん》!!!
はたして 賞金《しょうきん》の50万《まん》ゼニーを 手《て》にして むふふと わらえるのは ジャッキー選手《せんしゅ》か 孫《そん》選《せん》手《しゅ》かーっ!!?
わーわー
けええ—————っ!!!!
!!

バッ
ぶんっ
キッ
バッ
かっ!!!
くるるるっ

げっ!!!
ぐぁあっ
ドグッ!!
ぎゃふっ!!!!

わっあっあ〜ーっ
ひゅーーん
とん
わあああ〜〜っ!!
まっ まずいっ!! 場外負《じょうがいま》けだっ!!!
筋斗雲《きんとうん》は禁止《きんし》されてつかえないっ!!

バカめ 攻撃《こうげき》をよけただけで安心《あんしん》しおって…油断大敵《ゆだんたいてき》というやつじゃ
それにしてもこうも あっさり勝《か》てるとはおもわなんだのう…そう心配《しんぱい》することもなかったわい
ひゅーん
こりゃやばいぞ
う〜ん どうしようかな…
優勝《ゆうしょう》しちゃいました!!
ピース ピース
こ これはおもいがけずあっけない勝負《しょうぶ》でした…!!
優勝《ゆうしょう》は長《なが》き人生《じんせい》に渡《わた》って技《わざ》を鍛《きた》えあげてきたジャッキー・チュン選手《せんしゅ》に決定《けってい》いたしました……!!
ま トーゼンですな

ざや ざや
お おい……… あれ…
ん？
ごっ 悟空《ごくう》だっ!!!
場外《じょうがい》負《ま》け じゃ ないわっ!!!
やった――っ!!!
なっ なぬっ!?
どっ どう やって…!!
おおお――っ
にひひ～～～！
ぶラララ…ん

なっ……
なんと……!!
おーーっとつと!! 孫選手《そんせんしゅ》 なんと シッポをグルグルまわし ヘリコプターのように 飛《と》んでおりますーーーっ!!!!
ワーーッ ワーーッ ワーーッ
とっ
ざんねんでしたーー!
ぬぬぬぬぬぬぬぬっ!!!
シッポのおかげで命《いのち》びろいしおったか……!!
悪運《あくうん》の強《つよ》いやつめっ!!

じいちゃんみたいにかめはめ波《は》で飛《と》ぼうとおもったけどさあ
あれはとっておきにしとこうとおもって
なまいきいいおって!
おまえにわしほどのかめはめ波《は》ができるわけなかろう!
できるよーだ!
なんじゃと~わしのかめはめ波《は》をなめとるな…
なるほど…おもい知《し》るがよいぞ…
す
わしが長年《ながねん》かかってあみだしたかめはめ波《は》の威力《いりょく》を……!

か〜〜め〜〜〜〜 は〜〜め〜〜〜〜……
さっ
か〜め〜 は〜め〜……
波《は》ーーーっ!!!!!!

ドンッ
波《は》ーーっ!!!!!

バッ
ズュアアアッ

ぐっ!!!!

どしっ
どて
く〜〜〜〜…ん
天下一武道会
ひ…ひえええ……
こ…こわ〜……
……そ……そんな……
バ…バカな……！

かめはめ波《は》がえし!!
へへへ〜 オラにもできたぞ!
し…信《しん》じられん……!
わ…わしのかめはめ波《は》をかめはめ波《は》でおさえこむとは……
おおどろきました…! あ…あの武天老師《むてんろうし》さま以外《いがい》にはできないというか…かめはめ波《は》の使《つか》い手《て》が…
ジャッキー・チュン選手《せんしゅ》ともうひとりいたのです…!! すごい! すごい!! すごい————っ!!! とんでもないお子《こ》さまです!!!
うおおお〜〜っ
武道会
ま…まさかこれほどとは…。やはり悟空《ごくう》にはなめてかかるとやばい…
作戦《さくせん》を考《かんが》えねば…………

次《つぎ》は、其之《その》四十八　猿《さる》マネ孫悟空《そんごくう》

息《いき》づまるような熱戦《ねっせん》がくりひろげられている決勝戦《けっしょうせん》!! これまでのところはまったく五分《ぶ》と五分《ぶ》の闘《たたか》いです!!
いや、むしろうれしそうに試合《しあい》をする孫《そん》悟《ご》空《くう》選手《せんしゅ》のほうに余裕《よゆう》が感《かん》じられます!!
わー わー わー
むむう……
わくわく
つぎは どんな攻撃《こうげき》するんだ?
……かわいくないやつ…
それほどいうならこの技《わざ》を受《う》けてみるがよい…
はっ!!!!
ゔんっ

しゅっ
む!!
また あの技《わざ》か!! ワンパターンだな じいちゃん
ホンモノの位置《いち》は……
ここだっ!!
えっ!?
ぬっ
ざんねんでした…

ぎえっ!!!!
BA-VOOM!
ガラ・・・
ああっ!!
二《に》重《じゅう》残《ざん》像《ぞう》拳《けん》!!
ふふふ…
まいったか

こりゃ カウントを はじめんかい！
あ！ は はい！
ワン…… …ツー……
わしの キックを くらって おきあがれたら たいしたもんじゃ わい
スリ…… …あっ!!
ガラガラ
ぷひゃ――っ！ ビックリ した〜っ
パンパン
ぺっ ぺっ！
……………!!!
うっそ〜〜
ぜ… ぜんぜん へいきみたい じゃない…
オラも やるど!!

ぶんっ
この猿《さる》マネこぞうめ!!
わしの技《わざ》のマネばっかりしおって!そんなもんみぬけんとおもうか!!
む!
やはり二《に》重《じゅう》残《ざん》像《ぞう》拳《けん》できおったか!
ふっ
バカめ!!おまえのすることはすでにおみ通《とう》し!!!
そこじゃっ!!!

げっ!!!
こっちでした——っ!!
いっ!?
ガン
ぎゃふっ!!!!
ビタン!!

OMAKE
なんでもないページ

三《さん》重《じゅう》残《ざん》像《ぞう》拳《けん》だっ!!
い…いっち〜っ!!
いまのうまかっただろ!? ねっ!
こいつめ〜……
師匠《ししょう》のアタマをどつくとは なんという…
えっ? なんでじいちゃんが師匠《ししょう》なんだ?
オラの師匠《ししょう》は亀仙人《かめせんにん》だぞ
ギク!
あ!
か かんちがいしちゃった…!
あは…あははは!
などとわらっとるばあいじゃないわい!!
やりおるな! こぞう

しからば
これで
どうじゃ!!
ヒック
ふら
ふら
う〜い
ヒック
…?
な
なんだ?
どうした…?
おっと
どうしたのでしょうか
ジャッキー選手《せんしゅ》!?
とつぜん
酔《よ》っぱらい
はじめました!!
きのうの酒《さけ》が
とつぜん　きいて
きたんでしょうか!?
おっとっと
だ…
だいじょうぶ
かよ

ヒック
ガン
なにすんだよ
いてーなっ!!
へっへっへ
う〜〜い
しょうがねえな…
あれは……
ヒック
バキッ

つっつ…‼
だまされるな悟空《ごくう》っ!!!
それは酔《よ》っぱらったふりをして攻撃《こうげき》する酔拳《すいけん》だっ!!!
酔拳《すいけん》⁉
ふらふら
むっふっふ
いまごろわかったか
オラの死《し》んだじいちゃんがとくいだった技《わざ》だ…!
きたねえな〜〜〜 とつぜんやるなんて!
やっ‼
ひょい
う〜い
ヒック
ゴン

んぎぎぎぎ………!!
ヒィ
ハァ
おっとみたところは地味《じみ》な技《わざ》ですがジワジワときいているようです!!
う〜い
たっ!!
ひょいっ
ヒック
ボグッ
がが……
これはやばい孫選手《そんせんしゅ》!! フラフラになってきました!!!
ひええ〜〜

ふふふ…この酔拳《すいけん》ばかりは酔《よ》っぱらったことがない未成年《みせいねん》のおまえにはマネできまい…
どれ
ふら
ふら
そろそろ試合《しあい》をきめるかのう
う〜い
タタタタ…!!
ん！
なんじゃい！おまえにしてはめずらしく逃《に》げるのか！
う…ううう……
へ？お…おまえ泣《な》いとるのか？……
ううう〜〜〜がるるるるる…!!!

い!?
がるるる・・・・・
わんっ わわわん!!!
ダッ
ぎえええ〜〜〜っ!!!!
がう――――っ!!!

くるっ
ありっ!?
ドガッ
バガーッ

つっっ……
ガラ…
ぐぬぬ…
な…
なんじゃい…
いまの技《わざ》は
へへ〜
狂《きょう》拳《けん》!!
じっ字《じ》がちごうとるっ!!
いまのは狂犬《きょうけん》じゃった!!
ものすごい技《わざ》の応酬《おうしゅう》です!!! さすが決勝戦《けっしょうせん》にふさわしいすばらしい勝負《しょうぶ》!!!
わー
わー
わーー
それにしてもちいさな孫選手《そんせんしゅ》たえずジャッキー選手《せんしゅ》をひとつ上《うわ》まわっております——っ!!!
くくそ〜
わー

トビラページ大《だい》特《とく》集《しゅう》III

すっかりおなじみになったトビラページ大《だい》特集《とくしゅう》の第《だい》3弾《だん》です。例《れい》によって今回掲載《こんかいけいさい》されたドラゴンボールの各《かく》トビラ（それぞれのマンガの表紙《ひょうし》）を週刊少年《しゅうかんしょうねん》ジャンプに載《の》ったそのままで公開《こうかい》するよん！

DRAGON BALL《ドラゴンボール》

其《そ》之《の》四十《よんじゅう》二《に》　大《だい》攻《こう》防《ぼう》戦《せん》！

BIRD STUDIO　鳥《とり》山《やま》明《あきら》

むむ〜 なるほど…！ スキのない かまえですね！
だれに 習《なら》ったの？

クリリンVS《バーサス》J．C．《ジャッキーチュン》戦《せん》

秒《びょう》の早技《はやわざ》の応酬《おうしゅう》で大白熱《だいはくねつ》!!!

ドラゴンボール

DRAGON BALL

ひと足《あし》早《はや》く決勝《けっしょう》進出《しんしゅつ》を決《き》めるのは誰《だれ》!?

其《そ》之《の》四《よん》十《じゅう》三《さん》 謎《なぞ》のジャッキー・チュン

鳥《とり》山《やま》明《あきら》 BIRD STUDIO

J.C.《ジャッキーチュン》を場外《じょうがい》へ! クリリン勝利《しょうり》!?

ドラゴンボール
DRAGON BALL
其《そ》之《の》四《よん》十《じゅう》六《ろく》
大《だい》決《けっ》勝《しょう》戦《せん》
鳥《とり》山《やま》明《あきら》
BIRD STUDIO
TOYOTA
MR2T
悟《ご》空《くう》対《たい》J.C.《ジャッキーチュン》——最《さい》強《きょう》者《しゃ》は…??

ドラゴンボール
DRAGON BALL
其之四十七《そのよんじゅうなな》　かめはめ波《は》　鳥山《とりやま》 明《あきら》
BIRD STUDIO
ある時《とき》は陽気《ようき》な"亀《かめ》ちゃん"!
また、ある時《とき》はJ《ジャッキー》・C《チュン》・!
真《しん》の姿《すがた》は…
天下無敵《てんかむてき》の 武天老師《むてんろうし》

ドラゴンボールやわたくしに
関《かん》することならなんでも
よろしいです。
ジャカスカおハガキ
をくださいまし。

Q 孫《そん》くんとクリリンは亀仙人《かめせんにん》のところでいっしょに修業《しゅぎょう》したのだから、天下一武道会《てんかいちぶどうかい》の決勝《けっしょう》で、「孫《そん》くん対《たい》クリリン」をやらせてください。

大阪府《おおさかふ》・勝又雅之《かつまたまさゆき》

A おもしろいアイデアだけど残念《ざんねん》ながら決《けっ》勝戦《しょうせん》は「悟空《ごくう》対《たい》ジャッキー・チュン」になっちゃったから、もう遅《おそ》かったね。でも「悟空《ごくう》対《たい》クリリン」じゃ圧倒的《あっとうてき》に悟空《ごくう》が勝《か》っちゃうと思《おも》うよ。

Q わたしはいつも『ドラゴンボール』をワクワクしながら読《よ》んでいます。わたし、友《とも》だちにへんな目《め》でみられるほど『ドラゴンボール』が好《す》きです。カンペンなどのグッズはほとんどそろえ、コミックスも全部買《ぜんぶか》い、テレビのほうは毎週《まいしゅう》ビデオにとっています。

静岡県《しずおかけん》・吉田陽子《よしだようこ》

A えらい！ 陽子《ようこ》ちゃんは、少林寺拳法《しょうりんじけんぽう》の初段《しょだん》なんだね、これまたえらい！ これからも、よろしく。

Q 突然《とつぜん》ですが、ぼくはウーロン茶《ちゃ》とプーアル茶《ちゃ》が大好《だいす》きです。ところでコミックスの1巻《かん》のP.18で悟空《ごくう》が「人間《にんげん》みたのもはじめてだ」といっていますが、悟空《ごくう》のおじいさんは人間《にんげん》じゃないんですか？

奈良県《ならけん》・久保康弘《くぼやすひろ》

A うむ…。そういえば、そうだな…。しまったな…。あやまってしまおう。ゴメン。それにしてもプーアルというのも中国《ちゅうごく》のお茶《ちゃ》からとった名前《なまえ》だと、よくわかったね。

Q 鳥山《とりやま》 明先生《あきらせんせい》こんにちは。いきなり質問《しつもん》しますけど、もし1日《にち》たっぷりと時間《じかん》（自由《じゆう》な時間《じかん》）があったら、なにをしますか？

徳島県《とくしまけん》・米本直裕《よねもとなおひろ》

A ときどきは1日《にち》たっぷりお休《やす》みという日《ひ》もあるんだけど、そんなときは、すいすいと寝《ね》て、起《お》きたらオクサマとスーパーマーケットに行《い》ったり、バイクに乗《の》ったり、映画《えいが》に行《い》ったり、プラモをつくったり、テレビをみたり…など、ふらふらしております。

とりやまさんの DRAGON BALL ドラゴンボール なんでもかんでもコーナー

Q くうきがなくなるので、たすけてください。かめはめはで、くうきをあつめておくってください。さようなら。

三重県《みえけん》・真弓武士《まゆみたけし》

A へ…!? ど、どういう意味《いみ》なんだろ…。まさか武士《たけし》くんは、おぼれながらこの手紙《てがみ》を書《か》いているんじゃないよね…。こ、これからも、よろしく。

Q あのー、わたし気《き》づいたんですケド、『ドラゴンボール』はブルマが三蔵法師《さんぞうほうし》で、ウーロンが八戒《はっかい》でヤムチャが沙悟浄《さごじょう》で、神龍《シェンロン》は三《さん》蔵法師《ぞうほうし》の馬《うま》なんでしょ! なんとなく、そんな気《き》がするんです。でてくる順《じゅん》も同《おな》じだし…ちがいますか? わたしは中《ちゅう》3の女《おんな》の子《こ》……受験《じゅけん》が…コ・ワ・イ…。

茨城県《いばらきけん》・大内真佐枝《おおうちまさえ》

A たしかに最初《さいしょ》は西遊記《さいゆうき》を現代風《げんだいふう》に、そして少年誌風《しょうねんしふう》にして描《えが》こうと思《おも》ったんですが、かえってやりにくいので、無視《むし》して始《はじ》めることにしたのです。だから、おなじ孫悟空《そんごくう》という名前《なまえ》でも、サルの孫悟空《そんごくう》とは別《べつ》に考《かんが》えてください。ただし、牛魔王《ぎゅうまおう》の話《はなし》は西遊記《さいゆうき》のものからとってあります。では受験《じゅけん》がんばってくだされ。

＊＊＊＊＊＊＊＊＊＊＊＊＊＊＊＊＊＊

★てなわけで『ドラゴンボールコーナー』では、みんなのアホ話《ばなし》を募集《ぼしゅう》しとりやす。採用者《さいようしゃ》には、もれなくわしの色紙《しきし》を送《おく》っちゃいます。

〈あて先《さき》〉〒101東京都千代田区神田局私書箱第66号　集英社　週刊少年ジャンプ「ドラゴンボールコーナー」係★ハガキ、待《ま》っとるじぇ

★みんな、わしのファンクラブがあるのは、知《し》っとったよね!! 実《じつ》は大変《たいへん》うれしいことにこれもひとえに、みんなのおかげでやす。感謝《かんしゃ》!! てなわけで、むちゃんこ残念《ざんねん》すけど会員数《かいいんすう》が定員《ていいん》に達《たっ》してしまったのじゃ!! 感謝《かんしゃ》!! てなわけで、最初《さいしょ》の約束《やくそく》どおり募集《ぼしゅう》は終《お》わらせていただきやす。これから会員《かいいん》になろうと思《おも》っとった人《ひと》ごめんね!! 入《はい》れんかった人《ひと》は、ジャンプ・コミックスで、これからも応援《おうえん》してチョ!!

電話《でんわ》・03（263）0389

■ジャンプ・コミックス

DRAGON《ドラゴン》 BALL《ボール》

4 大決勝戦

1986年10月15日　第1刷発行
1994年8月15日　第54刷発行

著者　鳥山　明

編集　ホーム社
東京都千代田区一ッ橋2丁目5番10号
〒101-50　電話　東京　03(3230)2406

発行人　後藤広喜

発行所　株式会社　集英社
東京都千代田区一ツ橋2丁目5番10号
〒101-50
03(3230)6235(編集)
電話 東京 03(3230)6191(販売)
03(3230)6076(制作)
Printed in Japan

印刷所　株式会社　美松堂
中央精版印刷株式会社

ISBN4-08-851834-9 C9979